Любовь и болезнь в истории жизни Жанны Фриске

ДМИТРИЙ ШЕПЕЛЕВ

МОСКВА
2017

УДК 784.071.2 Фриске Ж.
ББК 85.364.1(2)6-8
Ш48

Художественное оформление *Андрея Саукова*

Фото на обложке *Славы Филиппова*

Шепелев, Дмитрий Андреевич.

Ш48 Жанна / Дмитрий Шепелев. — Москва : Издательство «Э», 2017. — 256 с. — (Дмитрий Шепелев. Любовь и болезнь в истории жизни Жанны Фриске).

ISBN 978-5-699-92882-8

Светлую жизнь певицы Жанны Фриске, наполненную любовью и умиротворением, в одно мгновение перечеркнул диагноз — рак, превратив любимицу миллионов из символа красоты в пациента, за здоровьем которого следит весь мир. Болеть тяжело. Болеть под пристальным вниманием — невыносимо. Эта книга о первом в России публичном, хоть и невольном, опыте противостояния болезни, о достоинстве и силе, с которой хрупкая Жанна приняла смертельный бой. Я очень надеюсь, что эта книга будет полезна тем, кто борется сам или помогает близкому. Сможет поддержать тех, кто отчаялся, и, быть может, вдохновит на веру в чудо спасения. Эта книга об испытании болезнью, о том, как она меняет радужный и привычный мир. О сопротивлении. И разумеется, еще это история любви, без которой любое сражение вряд ли имело бы смысл.

УДК 784.071.2 Фриске Ж.
ББК 85.364.1(2)6-8

ISBN 978-5-699-92882-8

Памяти женщины, которую я люблю
Всем, кто переживает подобное
Тем, кто поддерживал нас

ПРЕДИСЛОВИЕ

Решившись на эту книгу, я долго думал, к кому обратиться с просьбой о предисловии. Мне говорили, что написать его должен кто-то знаменитый, чье мнение всех заинтересует. Я не возражал, но интуитивно понимал, что эта история не требует никаких громких имен для привлечения внимания. Я пишу всё это не для пустого шума.

Рассказывая нашу с Жанной историю, я отчетливо представляю себе, для чего это делаю: мне хочется протянуть руку помощи тем, кто прямо сейчас, в данный момент, проходит через испытание тяжелой болезнью.

Я знаю, каких сил стоит не отчаиваться, держать себя в руках и — самое главное — верить в чудо спасения. Именно эта вера и поддержка, от кого бы она ни исходила, наравне с лекарствами помогает выстоять, не сдаться, выцарапать у болезни еще хотя бы один день, одну неделю, месяц и даже годы.

Поддержка, которую мы с Жанной получили за почти два года ее болезни, ошеломила нас. Миллионы писем, тысячи сообщений, добрые слова от незнакомых, но глубоко переживающих за нас людей.

Помню, как после акции Первого канала, когда впервые было публично рассказано о болезни Жанны, я увидел фотографию одного провинциального православного прихода. Перед входом в храм висела растяжка: «Помолитесь за Жанну». Меня это потрясло. Тогда мы много говорили с Жанной о том, как постараемся быть благодарными людям за их молитвы и участие, за деньги, которые они посылали на ее лечение, за слова и добрые мысли. И сейчас пришло время сказать спасибо. Эта книга — благодарность всем неравнодушным людям.

История, которую я расскажу, — это история болезни и история любви одновременно. Это книга о нашем опыте сопротивления и — я верю — победе над обстоятельствами. Надеюсь, она может быть весьма полезна тем, кто борется сам или помогает сражаться близкому.

Еще это история о добрых и отзывчивых людях, которых мы вряд ли встретили, если бы не рак. О тех, кто был рядом, когда казалось, что мир отвернулся от нас, оставив один на один с бедой, и рассчитывать на помощь неоткуда. Эти люди стали нашим спасением, нашими ангелами.

Так сложилось, что Жанна стала первым в России публичным человеком, который, пусть и не по собственной воле, проживал свою болезнь на глазах миллионов. В стране, где тема рака, в сущности, табуирована. Где это заболевание язычески называют «дурной болезнью», считая даже не болезнью, а скорее проклятием, наделяя его мистической силой. И этим уникальным публичным опытом я чувствую обязанность поделиться. Потому что убежден: о раке говорить необходимо. Только так мы сможем не только поддержать тех, кто столкнулся с ним, но, главное, — сможем победить страх.

Это история, которая, надеюсь, поможет оказавшимся в схожей ситуации выстоять. Ведь бороться легче, зная, что ты не один. И победить. Потому что иначе зачем бороться.

Именно поэтому одно из писем, полученных мной, — лучшее предисловие к книге, которую, надеюсь, вы сможете дочитать до конца. Публикую его с разрешения автора.

Дмитрий, здравствуйте. Долго не решалась вам написать, потому что, предполагаю, вам сейчас не до всех. Но для меня это слишком важно, поэтому я всё же пишу. Меня зовут Галя, и я звонила вам зимой, у моего мужа глиобластома, понимаю, что этого вы не помните, скорее всего, но не это важно. Просто знайте, что вы нам очень помогли. Мы лечились в американском центре, контакты которого нам дали вы. И, возможно, это были счастливейшие месяцы в моей жизни. Результаты после лечения, которое мы смогли оплатить, были прекрасные. И за это я вам благодарна. Не знаю и представлять не хочу, как вы всё, что с вами случилось, пережили. Мне нечего сказать вам. Потому что любые слова будут неуместны, так мне кажется. У меня самой двое малышей и муж не в самом лучшем состоянии. И я ужасно боюсь будущего, хоть и готова бороться до последнего.

Не буду писать про то, какой вы молодец, потому что я вас не знаю, просто, мне кажется, вы такой же настоящий, как и Жанна. Наверняка вы понимаете, как важен каждый день, пока любовь твоей жизни может говорить и быть рядом. Хоть это и невероятно тяжелые дни. Мой муж умер бы еще весной, если бы не ваше письмо. Мои мальчики уже знают своего папу на несколько месяцев больше, чем должны были. И за это я вам благодарна.

Мне самой пишут сотни человек, а вам, наверное, тысячи, я знаю, как это утомляет. Но мне будет приятно, если вы найдете пару минут и прочитаете мое письмо. Спасибо, что вы такой есть. У вас и у Платона всё обязательно сложится хорошо. Потому что кошмар не может длиться вечно.

Галина

О диагнозе мужа Галины я узнал от общих знакомых под Новый, 2015 год. В тот самый момент, когда состояние Жанны резко ухудшилось. Мы разговаривали с Галиной по телефону несколько раз. Я поделился с ней всеми медицинскими контактами, которые имел, полагая, что информация — главное, чего, как правило, не хватает тем, кто только что столкнулся с раком. Позже в письме я прислал Галине историю нашей борьбы, описывая возможные подводные камни лечения. Больше мы не списывались, не созванивались. И никогда не виделись.

Жанна стремительно таяла. 15 июня 2015 года ее не стало. Это послание пришло в тот момент, когда в моей жизни наступила самая страшная и пустая полоса.

Я верю, что для кого-то эта книга станет таким же источником силы, света и надежды, каким черным летом 2015 года стало для меня это письмо.

ГЛАВА 0

Мне часто снится этот сон: крупные снежные хлопья врезаются в высокое — от пола до потолка — окно на 20-м этаже гостиницы на Манхэттене. Внизу рождественскими огнями горит Нью-Йорк, самый живой город на Земле. Мы только что вошли в номер. И, кажется, всё по-прежнему, как в прошлой счастливой жизни: мы вдвоем, мы в отеле, сейчас начнется путешествие, которое станет еще одной страницей истории нашей любви. Я стою у окна и смотрю на город. За моей спиной — огромная гостиничная кровать, заправленная свежими хрустящими простынями. В ней только что утонула Жанна, прошептав: «Господи, как хорошо! Как раньше...» Спиной чувствую, как она улыбается. Оборачиваюсь. В моих руках телефон и СМС: «Данна умерла». Данна? Это же Жанна. С ошибкой! Опять! Как той страшной ночью, когда пришло это дикое, с ошибкой, СМС от ее сестры, делающее всё необратимым, подводящее подо всем неумолимую черту. Просыпаюсь. Сердце колотится. Холодно. Ничего не соображаю. Этот сон мне снится и снится, мешаясь с реальностью, возвращая к воспоминаниям.

Между той, последней счастливой ночью в Нью-Йорке и роковым СМС с ошибкой — полтора года. Восемнадцать месяцев болезни и любви, которые мы провели вместе. Рука в руке. Мы не собирались сдаваться и не сдались. До самого конца. Кто и что бы ни говорил.

Помню, как тогда, на Манхэттене, я спросил Жанну: «А ты сама веришь?» И она, как всегда с улыбкой, тихо ответила: «Если ты веришь, то верю и я».

Там, в зимнем Нью-Йорке, нам предстояло принять, возможно, самое сложное и серьезное решение в нашей совместной жизни: как лечить Жанну, как сказать о том, что она заболела, друзьям и знакомым, миллионам ее поклонников, вот уже больше полугода забрасывающих нас вопросами, журналистам, снующим повсюду и фотографирующим исподтишка, всем-всем-всем. Как перестать скрываться, разделить нашу тайну со всеми, но остаться друг с другом наедине?

Через час, обессилевший и опустошенный, я выйду из соседней комнаты и покажу Жанне видеообращение, которое записал и которое спустя несколько часов увидит весь мир: «Нашей семье выпало непростое испытание. Жанна больна раком. Сейчас мы обращаемся с одной просьбой: пожалуйста, поддержите нас добрым словом и поддержите нас молитвой».

Мы еще не знаем о том, что вскоре откажемся от лечения, ради которого оказались на Манхэттене, но совершенно неожиданно возникнет другой, спасительный план, и спустя несколько дней мы примем его; мы еще не знаем, что через неделю познакомимся с доктором Блэком, который — единственный из всех встреченных нами ранее врачей — скажет: «Я беру ее. Давайте не будем сдаваться»; мы еще не знаем, что новая, экспериментальная терапия будет стоить около полумиллиона долларов, а значит, средства, собранные «Русфондом» при поддержке Первого канала — наш единственный шанс; мы еще не знаем, что это новое лечение подарит Жанне полтора года жизни, вернет ее сыну, друзьям и, наконец, — нас друг другу. На несколько месяцев. Чтобы потом болезнь разлучила навсегда.

Судьба отмерила нам четыре года, что для истории — не срок, но, как оказалось, очень много для человеческой жизни. И каждый из этих дней был наполнен ею — моей любимой, воспоминаниями о которой я дорожу бесконечно. Моя девочка... Как удобно лежала ее рука в моей, как удобно было обнимать ее, превращаясь в единое целое, будто этот человек создан именно для меня. Ее взгляд, прикосновение губ, мягкие рыжеватые волосы, ее запах, такой теплый и сладкий, не похожий ни на один другой, который я так бережно храню в памяти — только бы не забыть.

Вот только память — причудливая вещь. Она ускользает, меняется, иногда обманывает, а иногда дает ответы на безответные прежде вопросы. Я пишу эту книгу для того, чтобы сохранить память о Жанне. Такой, какую люблю, такой, какой хотел, чтобы она осталась навсегда: смеющейся, солнечной, с игривым и проникновенным голосом, с обезоруживающей улыбкой. Сильной и слабой, безропотно принявшей смертельный бой.

Это книга о моей Жанне, какой ее знал я, об очень короткой любви и страшной болезни. О самых счастливых и одновременно трудных годах в моей жизни.

Я верю, что эта книга нужна не только мне, но, возможно, потом и нашему сыну Платону как память о маме.

ГЛАВА 1

Ее всегда окружало очень много людей — семья, друзья, подруги, продюсеры, — и у каждого из них была своя личная Жанна, на внимание которой он претендовал и расположением которой дорожил.

Жанна всегда была человеком необычайно комфортным в общении. Бесконфликтным, приветливым и светлым. Вместе с известностью и красотой эти качества притягивали неимоверно.

Я появился в ее жизни, пожалуй, самым последним, не считая нашего сына Платона. И, не буду скрывать, часто ощущал ревность окружающих. Разумеется, меня оценивали, присматривались, обсуждали и часто не любили: ведь я претендовал на их Жанну. Я же никогда не стремился занять особое место в ее жизни. Просто встретил и полюбил ее. Не поп-звезду, не секс-символ, не «черненькую» из «Блестящих», а просто девочку, которая навсегда изменила мою жизнь.

2009 год. Мне 26. Я свободен, беззаботен и удачлив. Я в Москве по приглашению Первого канала. У меня всё получается. Еще я сноб и циник, колючий, язвительный и желчный. Я агрессивен и саркастичен и думаю, что знаю вкус жизни. Планов на будущее нет: только наслаждаться успехом, Москвой и свободой, что в моем понимании и есть успех.

Ночной клуб. Большая и веселая компания. Танцы, смех, шампанское, поцелуи, словом, всё как обычно — dolce vita... Неожиданно от одного к другому по клубу бежит шепот: «Жанна, Жанна...» Оборачиваюсь. Под присмотром охраны вдоль стены к диджейскому пульту идет невысокая, с прыгающим хвостиком рыжеватых волос девушка. Уже потом я узнаю: в ту ночь она просто проезжала мимо и зашла поздороваться со старым приятелем, что играл в этом клубе. Скоро про Жанну все забыли. Один я застыл и не мог оторвать от нее глаз. Казалось, что нет ни музыки, ни шумной компании, ни этого клуба, ни этого города, ни меня — ничего. Я стоял и смотрел на нее, замерев, с дурацким бокалом в руке. И не понимал сам себя: что происходит? Это вообще я?

Жанна помахала мне рукой. Я в полусне ответил. Она широко улыбнулась. «Если не знаешь, как себя вести, просто улыбайся», — любила повторять она.

Я помню ее слова: «Слушай свое сердце и делай, как оно подсказывает, не бойся. Ждешь — отпусти. Если суждено — вернется и сбудется». Но кто и когда умел почувствовать свою судьбу наперед?

Конечно, я всегда знал, кто такая Жанна Фриске. Но никогда не был ее поклонником, не следил ни за ней, ни за ее творчеством. Да, милая девушка, не больше.

...Это был один из моих первых дней в Москве. Я остановился у друзей на Красной Пресне. Показывая мне район, кто-то из них, широко взмахнув рукой, словно гид на экскурсии, сказал, указывая на дом: «Здесь живет Жанна Фриске». Возле дома была припаркована яркая спортивная машина. «Наверное, и это ее?» — безразлично бросил я. Какое, в общем-то, имеет значение, где она живет. Впрочем, вскоре и я поселился именно на Красной Пресне, поближе к друзьям и, как выяснилось, к Жанне.

Уже в бытность мою телеведущим в Москве несколько раз мне приходилось объявлять ее выступления. Делал я это, как все и ждали от меня, с ироничным придыханием и восторгом. Но знакомы мы не были. И — никаких знаков судьбы, хотя она медленно и аккуратно подводила нас друг к другу.

Еще раз мы мельком увиделись на одном из светских мероприятий, мне вручали статуэтку, она была гостем. Нас опять не представили. Скользнули взглядом, разошлись... Позже она рассказывала, что отчего-то запомнила именно ту мимолетную встречу.

В следующий раз мы пересеклись на съемках шоу Первого канала «Достояние республики». Жанна с другими готовилась выйти на сцену. Я же стоял за кулисами, перечитывал сценарий и не обращал на нее никакого внимания. «Здравствуйте, мы вас весь вечер обсуждаем, вы такой харизматичный мужчина», — вдруг, обратившись ко мне, выстрелила в упор Жанна. Конечно, не серьезно, с иронией, очень кокетливо, но глядя прямо в глаза. Она вообще была большой кокеткой... Я не из робких. Но от этих слов, взгляда глаза в глаза растерялся. Конечно, уже потом, посмеиваясь над собой, я представлял, как легко и непринужденно выхожу победителем из этого эпизода, как шутливо отвечаю цитатой из фильма с ее участием: «Держите себя, пожалуйста, в руках». Но тогда, в ту секунду, совершенно опешил и так и не нашел, что сказать, улыбнулся и пошел на сцену.

Но забыть и эту встречу, отмахнуться от нее уже не сумел. Впрочем, новых встреч с Жанной не искал и даже не мог подумать, что пройдет совсем немного времени и я приглашу ее на свидание…

Много позже, когда Жанна станет для меня не только женщиной, но моим близким другом, станет, если угодно, учителем простых жизненных истин, ценностей и взглядов, она поделится со мной одним из своих секретов: никогда не спешить, не прикладывать чрезмерно много усилий. Достаточно только желания и воли, и тогда всё сойдется, совпадет, сбудется… Мы часто и подолгу говорили об этом с ней. Потом. А пока я интуитивно поступил ровно так, как она всегда делала, — отпустил.

Но — не далеко. Живя рядом, мы — не судьба ли? — оказались клиентами одного спортивного клуба и вскоре вновь встретились. Должно быть, со стороны мы выглядели довольно забавно, наш интерес друг к другу был хорошо заметен окружающим, однако, не признаваясь самим себе, мы все еще сохраняли дистанцию.

Жанна только пришла, а моя тренировка уже закончилась. Но вдруг мой тренер проявляет неожиданную инициативу: «Задержись. Забыли еще кое-что». И тащит меня в тот самый угол зала, где другой тренер занимается с Жанной. «Поработай над прессом», — объявляет мой наставник. И придумывает какое-то небывалое, но очень эффектное упражнение, на которое просто невозможно не обратить внимания. В общем, даже в собственных глазах я выгляжу эдаким силачом-суперменом. Жанна поглядывает, кокетливо отворачивается. В конце концов мы не выдержали и рассмеялись.

Но вот тренировка окончена. Прощаюсь. Ухожу.

«Идиот! — думаю про себя в раздевалке. — Какой же ты все-таки идиот!.. Вернись!» Так мы обменялись телефонами, и спустя, быть может, месяц я пригласил Жанну на наше первое свидание.

Была ранняя весна. Время, когда с первым теплом в город возвращается элегантность и жизнь, а воздух наполнен азартом. Пожалуй, впервые, заказывая столик в моем тогда любимом ресторане на набережной, прошу укромный в углу, подальше от любопытных глаз. Усаживаюсь. И жду.

Кажется, проходит уже больше часа, а я всё сижу, спокойно жду за пустым столом, никуда не спешу и ни капли не сомневаюсь в том, что Жанна придет. Останавливается автомобиль, мелькает знакомый хвостик рыжеватых волос, мгновение, поднимаюсь навстречу — вот и она. Элегантна, легка и выглядит так, будто это вовсе и не свидание, как будто просто проезжала мимо и решила заглянуть. Только горят глаза и широкая улыбка.

— Привет...

— Привет.

Тут-то и стало понятно, что всё не просто так. И что это головокружение, от которого мир останавливается и всё прочее становится неважным, — оно надолго. И если быть смелым и позволить себе мечтать, то можно сказать — навсегда.

ГЛАВА 2

Почему-то это совсем не было похоже на первое свидание, когда со скрипом ищешь внутри себя какие-то ничего не значащие слова, мучительно перебираешь общие темы, стараешься понравиться или приглядываешься — стоит ли вообще тратить время?

— Давай сразу договоримся, не нужно вопросов, как на интервью, ладно?

— Я и сам хотел предложить...

Это была легкая река, по которой мы плыли вместе так, будто знакомы уже много лет. Просто очень давно не виделись и стольким хотелось поделиться. Мы как будто бы начали с какой-то точки, на которой прервались недавно. И совсем скоро я впервые поймал себя на мысли: мне хочется, чтобы эта встреча не заканчивалась. Чтобы она смеялась моим остротам и смотрела мне прямо в глаза, чтобы я рассказывал ей (совершенно для себя неожиданно) о том, о чем никогда ни с кем не говорил, а она слушала. Мне внезапно захотелось, чтобы мы были вместе и никогда не расставались, как в сказках или голливудских фильмах.

Вдруг она сказала:

— У меня через час выступление.

— Я хочу поехать с тобой.

Представить, что мы сейчас расстанемся хоть на минуту, было невозможно…

Убегая в гримерку, Жанна бросила, улыбаясь:

— Ты же знаешь все мои песни, будешь подпевать.

— Не хочу тебя расстраивать, но я не знаю ни одной…

Она вышла на сцену, сияющая, в коротком облегающем платье в пайетках и в туфлях со знаменитой красной подошвой, с тонким вкусом подобранных к наряду, с убранными в хвост волосами и хищным взглядом. А я стоял в отдалении, с любопытством наблюдал и был поражен, насколько она переменилась, оказавшись в лучах прожекторов, на сцене перед публикой. Жанна Фриске. Звезда. Конечно, это была роль. Но в ней она была безупречна. И, надо сказать, Жанна очень любила эту роль. Работа приносила ей невероятное удовольствие. Я еще не раз удивлюсь тому, какая пропасть между этой сверкающей, купающейся в любви поклонников, фотографиях и автографах Дивой на сцене и моей Жанной.

И, глядя на нее тогда, я впервые задумался: какие же мы разные. У меня амбиции и нервы, я агрессивен и нетерпим. А она — спокойна и светла, улыбчива и дружелюбна с каждым, кто встречается ей на пути, будь то гример, продюсер, телохранитель или продавец в магазине. Знакомство с Жанной стало для меня хорошим уроком не только в ощущении себя, но и в отношении к окружающим. И сейчас, оставшись без нее, я очень ясно чувствую, что ее любовь к жизни, к людям, терпение и внимание даже к самым случайным встречным теперь живут во мне. Это еще один урок от моей Жанны. Она круто изменила меня. Благодаря ей я стал другим и, несомненно, стал лучше.

Но мог ли я знать наперед, каким быстрым будет этот урок? Какой короткой встреча? Какой стремительной, острой и неутоленной любовь? А пока, уезжая с концерта, мы спускаемся в лифте. Возле меня невысокая девушка, еще несколько минут назад на сцене казавшаяся такой недосягаемой. А сейчас об этом напоминает только блеск сценического макияжа. Я прикасаюсь к ее щеке, смахивая ресницу, беру ее за руку, и — нам ведь еще столько нужно обсудить — мы скрываемся в ночном городе продолжать праздновать нашу встречу.

Примерно через неделю, набравшись смелости, я пригласил ее присоединиться ко мне на концерте Jamiroquai в Берлине. И был готов, что откажет, с ее-то графиком выступлений. Но совершенно неожиданно и восхитительно легко она согласилась.

Мы договорились встретиться за день до концерта прямо в Берлине, потому как летели из разных городов. И, конечно, Жанна не была бы собой, если бы не пропустила свой рейс. Она почти всегда и всюду опаздывала. Меня всегда восхищало, с каким олимпийским спокойствием она могла только выезжать в аэропорт, когда любой другой на ее месте был бы там уже несколько часов. А чемодан она вообще складывала минут за пятнадцать — гастрольная привычка.

Потом, долгими больничными ночами я думал: «Девочка моя, почему ты изменила этой своей привычке опаздывать? Почему не опоздала на встречу с болезнью? Зачем вообще нужна была эта встреча? Неужели нельзя было просто пройти мимо, не успеть на этот роковой рейс? Так же просто, естественно и без каких-либо сожалений или угрызений совести. Как тогда, в Берлине...»

В общем, Жанна, как умела легко, пропустила свой рейс и присоединилась ко мне только через день, за несколько минут до начала концерта.

Мы танцевали и смеялись. А потом, прыгнув в такси, колесили всю ночь по Берлину, рука в руке. От бара к бару, из клуба в клуб — и безостановочно болтали. Нам хотелось, чтобы это путешествие не кончалось, и уже представляли, какой следующий город будет нам обоим по душе.

Это было так легко, непринужденно и весело, как прежде не было со мной. В какой-то момент я понял, что никогда не смогу утолить свою страсть к этой женщине. Хочу узнать ее до мельчайших подробностей, раствориться в ней, обнять узкие плечи, прижать к себе, стать с ней тем самым двуспинным существом из любимых стихов.

Смущало меня все еще только одно: она — Жанна Фриске. Я совсем не хотел встречаться со знаменитостью. Признаться, это казалось мне чуть ли не дурным тоном. Подобные «служебные» романы всегда вызывали у меня скепсис. Казались неискренними, притворными. Мне даже это не льстило. Под утро я набрался храбрости и сообщил ей об этом. Как было бы здорово, говорю, разделить, провести границу между той, ненастоящей сценической жизнью и повседневной. Отделить поп-звезду от обычного человека. Жанну Фриске от Жанны. Она рассмеялась. Не от моих слов. Почему-то ей показалось, что я, говоря с ней, настолько увлекся, что слишком манерно пью кофе, будто по-прежнему пытаюсь произвести впечатление. Я смутился и улыбнулся в ответ. И всё сразу будто встало на свои места. Стало просто.

— В крещении я Анна.

— Вот и отлично, значит, я буду называть тебя Аня.

Несколько недель мы упорно старались привыкнуть: я — называть ее Анной, а она — откликаться на это имя. Признаться, это было мукой, и скоро мы бросили эту затею. Но мое острое желание встречаться с женщиной, в которую я влюблен, а не с поп-звездой, никуда не исчезло.

И, кажется, у нас получилось. Каждый раз, когда она возвращалась с концерта домой, я просил поскорее снять макияж, чтобы возле меня оказалась не Дива, от которой не могут оторвать взгляд поклонники, а моя Жанна.

ГЛАВА 3

Сейчас я часто ловлю себя на том, как мысленно путешествую по тому времени, когда мы были вместе. Пытаюсь поймать волну того удаляющегося от меня счастья, пытаюсь научить себя разговаривать с Жанной, которой больше нет, вернуть звук ее голоса, ее смех... Пока, если честно, не получается.

— Я совсем тебя не слышу, поговори со мной... — иногда бросаю я в сердцах. И не слышу ответа.

Мысленно расставляю на карте флажки: места, где мы были, когда были счастливы. Места, где мы были счастливы. Наши места.

Первый флажок — разумеется, Берлин и несколько волшебных дней в исторической усадьбе «Шлосс-отель», отеле с историей, в зеленом и тихом районе Шарлоттенбург. Незабываемые выходные, при воспоминании о которых мне становится тепло: губы сами собой расплываются в счастливой улыбке, а внутри томится трепет и возбуждение той первой встречи, антураж и содержание которой превратили ее в самое красивое свидание в моей жизни. 7 апреля 2011 года.

Если бы кто-то тогда шепнул нам многозначительно, каким важным окажется этот день, 7 апреля.

Всего через два года родится наш сын Платон. Но ничего такого, конечно, нам никто не шепнул. А даже если и так, не думаю, что мы захотели бы прожить это время иначе. Да мы бы и не поверили. В ту секунду мы не думали о будущем и не загадывали. Мы были счастливы и беззаботны — такими бывают только дети и влюбленные.

Не прошло и двух недель, как мы снова — рука в руке — отправились по миру расставлять свои флажки. Я могу вспомнить каждый из них.

22 апреля — Стамбул. Весь день и ночь до рассвета мы гуляем, взявшись за руки: мост через Босфор, людные площади, изрезанные трамвайными рельсами, лабиринты кварталов старого города, знаменитый рынок. Пытаемся затеряться в неприметном кафе, где турецкие мужчины курят кальян и смотрят футбол, подкрепляем силы апельсиновым и гранатовым соком, от свежести которых кружится голова и учащается сердцебиение.

9 мая — Стокгольм. Непрекращающаяся вечеринка, шампанское, танцы до рассвета и долгожданный концерт Шаде, любимой певицы Жанны.

14 мая — Санкт-Петербург. Погода стояла отменная. Но, кажется, мы едва ли выходили из отеля.

28 мая — Париж. «Доброе утро, месье. Завтрак для вас и мадам».

Быть может, эти путешествия и состояли отчасти из туристических клише. Но нам хотелось одного — представлять себя местными в каждом из этих городов, примерять их на себя, с тем чтобы понять, какой из них подходит не каждому в отдельности, а нам двоим. Увлекательное, бесконечное и совершенно счастливое путешествие.

Мы ненадолго прерывались, чтобы вернуться в реальный мир: у Жанны — концерты, у меня — съемки. Наши отметки на карте снова стали появляться уже в июле, в удивительной Мексике. Никогда прежде я не видел такого сочетания ярчайших цветов природы; пожалуй, Мексика — самая колоритная страна на планете. Прекрасное и ужасное — богатство традиций и нищета, радушие жителей и опасность, бесконечно красивый и неистово бушующий океан, дикие первозданные леса, аллигаторы — всё рядом. Незабываемое время.

И дальше, октябрь — на озере Комо, потрясшем своей красотой, но напугавшем нас старостью постояльцев. Мы договорились вернуться туда лет через пятьдесят.

Ноябрь — на Сейшельских островах, январь — в Аспене: я обожаю сноуборд, а Жанна… Жанна ничего не сказала, но самоотверженно отправилась вместе со мной.

Что изменилось в моей обыденной жизни с появлением Жанны? Не могу вспомнить. Не было всех этих «притираний, противостояний и обточки характеров», о которых многозначительно пишут в журналах о популярной психологии. Да, появились:

- вторая зубная щетка,
- бесчисленные баночки с косметикой,
- новые запахи,
- не моя одежда на прикроватном кресле.

А также:

- в шкафу неожиданно не стало свободных полок,
- комнаты украсились цветами и свечами,
- в отеле я прошу два ключа, хотя всегда был нужен один…

И я был счастлив от этого! Мне казалось, что всё это было здесь всегда. Мне ни секунды не пришлось привыкать к новому человеку. Мы не ссорились и не ругались ни единого дня и не старались подстроиться друг под друга.

В мою жизнь вошел *мой* человек, моя Жанна, которая раскрасила мои монохромные будни, сделала их солнечными и не однообразными, как будто мы всегда были вместе, просто не были знакомы до поры. Благодаря ей я наконец стал собой. Она открыла меня настоящего под тысячами слоев наносного. И это тоже произошло как-то невзначай и само собой.

Эти два беззаботных года, которые отвела нам судьба, мы провели вдвоем. Рядом или даже на горизонте не было никого: ни родителей, ни подруг, только мы. Да, я знал, что у нее есть мама и папа, только до болезни мы и знакомы-то не были. Конечно, знал о существовании друзей, приятелей Жанны, но только по обрывкам ее фраз. С кем-то мы даже встречались время от времени. Я знакомил ее и со своими друзьями. Но все же мы были одни, не впуская никого в нашу тихую и счастливую жизнь и никак ее не афишируя.

Если нам и было суждено так недолго быть вместе, мы воспользовались этим временем сполна. Нам удалось уместить в эти два счастливых года столько впечатлений, сколько у иных не накапливается за десятилетия. И все равно это ничтожно мало. Но думал ли я об этом, летя на доске по знаменитой снежной пудре Аспена? Конечно нет.

Ежедневно обещая выйти на склон, Жанна так и не приблизилась к подъемнику. Зима была ей не по душе. Потерпев несколько дней холод и необъятные горные дали, которые так восхищают чокнутых горнолыжников и меня вместе с ними, Жанна улетела в Майами:

— Я буду ждать тебя. Прилетай ко мне в лето поскорее, пожалуйста, — сказала она в холодном аэропорту.

И уже совсем скоро по другую сторону континента мы снова встретились. Из укутанной в одежду, ссутулившейся и замерзшей Жанна превратилась в загорелую и сияющую, с цветком в волосах. Лето шло ей необычайно.

Тот летний вечер в Майами запомнился мне особенно. Открытый верх автомобиля, пряные южные сумерки, огромные самолеты, плывущие прямо над головой, черный соул по радио… Мы едем не спеша, держась за руки, а в лицо — теплый влажный ветер с океана. Это было как в кино, и не было никого счастливее, беззаботнее и спокойнее нас. И никогда и нигде, ни до ни после, я не испытывал такого блаженства, как тем вечером на подъезде к ее любимому Майами. Когда спустя год мы узнаем, что у нас будет ребенок, то единодушно решим: он должен появиться на свет именно здесь, вот в этой точке на земле, где Жанна — самая красивая, а я — держу ее за руку и любуюсь.

Так выйдет, что именно Майами окажется не только местом самого пронзительного и щемящего счастья в нашей жизни, но и точкой, в которой начнется обратный отсчет. Впрочем, я постараюсь рассказывать всё по порядку.

ГЛАВА 4

Жанна хотела детей. Это всегда было ее личное, очень интимное переживание. Немудрено: красивая, состоявшаяся женщина должна и может стать мамой. Об этом желании знали только самые близкие люди. И этой мечтой (не истерикой, а именно спокойной уверенностью, что однажды всё так и случится) лучились ее глаза, и поэтому тоже она была так притягательна.

Жанна любила детей. Особенно она гордилась тем, что озвучила персонаж мультфильма «Тачки» — фиолетовую машинку по имени Холли Делюкс, о чем непременно собиралась рассказать Платону. С готовностью откликаясь на просьбы благотворительных фондов помощи детям, Жанна участвовала в концертах, навещала пациентов и просто тех, кто нуждался в тепле и поддержке. Она искренне обнимала каждого, дети же просто обожали ее. После выступления за фотографией и автографом у сцены выстраивалась очередь ребятни. Со стороны это всегда выглядело очень забавно: дети и растерянные, обомлевшие, восторженные мужчины. И никто не уходил без заветного снимка или ее специальной подписи для детей: вместо строгой замысловатой закорючки Жанна рисовала девочку в сарафане и бантами в косичках.

Помню, когда мы только начали встречаться, музыкальный телеканал записал видеопоздравление ко дню ее рождения, где один из друзей, среди прочего, пожелал ей ребеночка. Не могу сказать, что эти слова меня встревожили. Но что-то екнуло: что касается меня, я не планировал никаких детей. Впрочем, и встречу с Жанной я не планировал.

Я всегда считал, что ребенок должен появиться в свое время, когда два человека этого хотят, безо всяких условий и оговорок: хотят, и точка. Собственно, я и сейчас так считаю. Но размышления эти носили тогда исключительно теоретический характер. Иногда я произносил подобные речи в компаниях. Дети — тем более теоретические — очень светская тема.

В общем, если откровенно, то до встречи с Жанной я не хотел и даже не помышлял о детях. Дом, семья — всё это казалось мне чем-то из другой, чужой, не моей жизни. Но, встретив ее и узнав, спустя довольно короткое время, неожиданно для себя осознал: я не боюсь, а, наоборот, буду рад, если с этой, именно с этой женщиной у нас родится ребенок. Но вслух не признался.

Однако вся наша жизнь с Жанной с первого дня знакомства была пропитана пониманием — с полуслова и полувзгляда, нам никогда не было скучно, нам было хорошо даже просто молчать вдвоем. Это чувство покоя и благости в наших отношениях было даровано нам свыше. И к нам обоим пришло неявное, несформулированное и невысказанное понимание, что у этой любви должно, просто обязано появиться продолжение. Сейчас я вижу и в этом подарок судьбы: Жанна не могла не оставить светлое напоминание о себе в этом мире.

Ясным и теплым воскресным утром, таким похожим на саму Жанну, таким, какое бывает только в самом начале сентября, она разбудила меня и игриво, испытующе посмотрела в глаза.

— Что случилось?

Молчит и улыбается.

— Да?

— Да! — прошептала она. — Да-да-да! — И рассмеялась.

— Очень хорошо, — пробормотал я и, притворившись сонным, перевернулся на другой бок, чтобы посмешить ее.

Мы смеялись, как дети, узнавшие, что скоро будут аттракционы и мороженое, принялись делать смешные селфи, дурачиться на камеру, чтобы запомнить и сохранить этот счастливый для нас обоих момент: раннее сентябрьское утро, когда солнце за окном плавит первый осенний туман, а мы узнали, что нас теперь больше, чем двое.

С того дня мы не расставались с первой в жизни черно-белой фотографией Платона, на которой уже отчетливо виден курносый носик и крайне сосредоточенное, как нам казалось, выражение лица. Несколько недель этот секрет был только нашим с Жанной. Большинство узнали о грядущих переменах в нашей жизни не раньше третьего месяца. А некоторым и вовсе не говорили до последнего, чтобы до поры не растревожить вездесущую прессу, так досаждавшую нам уже тогда.

Жанна продолжала выступать. Беременность протекала практически идеально и удивительно шла ей.

Мы были счастливы и спокойны. Кстати, мы оба хотели именно мальчика. Не помню, почему хотела Жанна, а я просто потому, что совершенно не понимал, что делать с девочкой. Оставаясь наедине, мы перебирали все возможные мужские имена. Иван, Данила, был даже Алан... Конечно, смеялись до колик и договорились, что остановимся только на том имени, которое устроит обоих. Так появился Платон. Мы начали обращаться к нему по имени, даже когда еще не было уверенности в том, что он может нас слышать. Более того, только ожидая рождения первенца, мы уже обсуждали второго ребенка — девочку. Но лучше еще одного мальчика. Но если все же девочка, то всенепременно Варя.

Только узнав о том, что станем родителями, мы принялись искать дом — нам хотелось своего уголка, для ребенка, для нас. Удивительно, как материнство на первых же неделях начало менять Жанну, — она просто бросилась на поиски. Никогда прежде не замечал за ней такой прыти. Спустя, наверное, год нам удалось найти и купить дом, о котором мы оба мечтали. Не слишком большой, не слишком маленький, в котором есть место только для нас троих и наших собак. Когда состоялась сделка, Жанна уже была больна. Но мы твердо решили: ни болезнь, ни обстоятельства не должны стоять у нас на пути — мы не собирались откладывать жизнь на потом.

Сразу после нового 2013 года мы улетели в Майами. Жанна любила этот город, проводила там много времени, хорошо его знала и чувствовала себя там своей. Я снял квартиру с огромными окнами у самого океана, и мы не спеша начали готовиться к появлению малыша. Еще из Москвы, собрав нужные рекомендации, мы назначили встречи с потенциальными врачами и уже через несколько дней отправились знакомиться. Роды в государственной или частной клинике, в ванной, бассейне, во сне... в общем, нам было что обсудить.

— Ок, если мы понимаем, что роды вот-вот начнутся, как быстро вы сможете приехать в госпиталь? — спрашиваем мы одного из докторов.

— Ну, это будет зависеть от того, во сколько закончится футбол по ТВ, — пытается шутить он.

Мы переглядываемся и вежливо прощаемся.

В итоге победу в нашем кастинге одержал эмигрант из Одессы, чрезвычайно востребованный в Майами доктор. Для Жанны было важно, чтобы во время родов она могла говорить с врачом по-русски. Для меня был важен фактор доверия. Для нас обоих имел значение его опыт. Всё это, а также его безотказное чувство юмора склонило нас в его пользу.

Конечно, дел было не так много, как нам тогда казалось, но все-таки — первый ребенок. У нас было достаточно времени, чтобы выбрать врача, госпиталь, купить одежду для новорожденного, кроватку, коляску и весь бесконечный список сопутствующего. Беременность была крайне бесхлопотной, Жанна чувствовала себя превосходно, врачи хвалили ее, мы были спокойны и счастливы.

Почти каждый день, когда поток туристов мельчал, мы приходили на Линкольн-роуд, чтобы заказать Жанне ее любимое мороженое — она не могла прожить без него ни дня. Я же в свободное время бегал по утрам и играл в теннис. Мы выходили завтракать во французское уличное кафе через дорогу, вечерами гуляли по набережной, смеялись, делали идиотские покупки, аккуратно путешествовали — в общем, жили. Жили рядом с местными и вдалеке от туристов и зевак. Мы настолько ценили наше уединение, что однажды очень расстроились, узнав, что в отеле по соседству остановился известный телевизионный «желтый» журналист. К счастью, мы с ним не встретились.

Это были самые долгие и беззаботные каникулы в моей жизни. Признаться, со временем я начал маяться от безделья и иногда улетал в Москву работать. Но для Жанны и будущего ребенка лучшей обстановки придумать было нельзя. Не было никаких сомнений: мы всё делаем правильно. Мы не посещали никаких специальных курсов для будущих родителей. Казалось, были совершенно готовы и без этого.

Сейчас, возвращаясь мысленно на несколько лет назад, я полагаю, что во всем, что происходило с нами, была какая-то закономерность. Судьба в это время словно бы оставляла нас в покое, давая тайм-аут, передышку, длинные каникулы, позволяющие втиснуть в два года сколько возможно эмоций и впечатлений, дать силы для дальнейших испытаний.

Когда я говорю, что нас было два плюс один, — это не совсем правда. Нас было больше. С собой из Москвы мы прихватили нашего пса.

Джек-рассел по кличке Лука был моей первой собакой за 28 лет. Даже не столько моей — его, четырехмесячного, подарили на Новый год Жанне. Вскоре после нашего с ней знакомства она улетела на долгие съемки в Мексику, а Лука переехал жить ко мне.

Выгуливать четыре раза в день, кормить по часам, купать и вычесывать, выбирать игрушки, приглашать кинолога, чтобы приучал выполнять команды, — так неожиданно, но с моего добровольного согласия изменилась моя жизнь. И мне это нравилось. Только потом, много позже, я понял, что пес подспудно был для меня репетицией перед рождением ребенка. Раньше мне вообще не приходилось ни о ком заботиться.

Терпение — главное, чему он меня научил. До чего же тяжело было совладать с собой и, скажем, не выбросить мерзавца в окно за то, что на белом домашнем диване лежит теплая свежая куча, а он невинно отводит глаза в сторону, как бы «ну это не я, нет». А ведь винить нужно только себя — все вопросы всегда к хозяину.

— Как там Лука? — иногда интересовалась Жанна.

— Ведет себя как маленький фюрер.

— Ты единственный, кого он слушается.

Он много путешествовал с нами. Как настоящий турист, со своим собачьим паспортом, прививками, дорожной сумкой. Да и вообще жил счастливой собачьей жизнью: я возил его на притравку (это когда собаке-охотнику позволяют загнать дикое животное), мы подбирали ему породистых подружек, баловали его сахарными косточками...

Так или иначе мы вместе и каждый по отдельности были готовы к рождению малыша и совершенно не боялись. Больше того, мы уже начали придумывать свою жизнь втроем — после того, как ребенок появится на свет: Жанна много говорила о том, как соскучилась по спорту, что мечтает снова, как до беременности, совершать пробежки вдоль океана, вновь ощутить легкость. А вот вернуться на сцену не спешила, желая насладиться долгожданным материнством.

Ближе к родам, когда я отлучался в Москву, приезжала погостить сестра Жанны, потом ее мать. Тогда я не думал, что, связывая свою судьбу с женщиной, я становлюсь связан с ее семьей. Удивительно, насколько чужими и разными людьми мы оказались, насколько другой и непохожей на своих родственников была моя Жанна.

Горе, словно океан, разделило нас. Но это всё потом.

А пока — океан из окон и океан счастья внутри, одежки размером с ладонь и трепет.

ГЛАВА 5

Так вот, беременность очень шла Жанне. Ее прежняя природная плавность словно еще усилилась, а ее и без того гипнотическая улыбка сделалась еще теплее. Ближе к концу срока ей стало тяжеловато, но я не помню, чтобы она жаловалась. Разве только на грусть во время разлуки: мне все же приходилось улетать по делам в Москву, и все эти дни порознь мы проводили, бесконечно созваниваясь и переписываясь. Впрочем, в марте я вернулся, чтобы уже наверняка «досидеть» до появления на свет нашего первенца.

Я очень хотел присутствовать на родах. Это было не праздное любопытство — для меня было важно увидеть появление сына собственными глазами, стать, насколько это возможно, участником. К тому же я был совершенно уверен, что смогу быть поддержкой для Жанны в такую важную для нас обоих минуту. Меньше всего мне хотелось бледным как полотно стоять в больничном коридоре и, изнывая, ждать, когда же выйдет врач и скажет: «У вас мальчик». В общем, для себя решил, что обязательно пойду, но при условии, что это не стеснит Жанну, и если она попросит, то незамедлительно выйду. Мы поговорили об этом незадолго до родов:

— Ты не будешь возражать, если я буду с тобой?

— Конечно нет. Я сама хотела спросить, не хочешь ли ты пойти.

Ну что же, и врача, и клинику, где Платону предстоит появиться на свет, мы выбирали вместе. Значит, будем вместе и сейчас. Решено.

Но время шло, а Платон не торопился. В начале апреля, слегка озадаченные, мы пришли на очередной прием к нашему жизнерадостному врачу. Осмотрев нас, он невозмутимо заметил:

— Пора, откладывать больше не стоит. Выбирайте дату.

— То есть как — выбирайте дату?

— Давайте назначим удобный для всех день.

— Удобный день? А как же таинство рождения, предусмотренное природой? Судьба, космос, звезды?..

— Молодые люди, природа не идеальна. А мы помогаем ей исправлять ее ошибки. Давайте, выбирайте.

— А давайте сегодня, чего тянуть? — предлагаю решительно.

— Никаких «сегодня». Я не готова. Нет, — заупрямилась Жанна. Моя сильная, мудрая женщина вдруг превратилась в испуганную девочку. — Нет.

— Хотите, давайте послезавтра?

Мы переглянулись.

— Ты как?

— Почему бы и нет. А какое послезавтра число?

— Кажется, седьмое апреля. Мне нравится.

— И мне.

Так, выбирая дату рождения сына, мы угодили в годовщину нашего счастья — двухлетие первого свидания в Берлине. Сообразил я это только намного позже, перебирая в памяти архивы нашей короткой любви. Удивительное совпадение.

Итак, по желанию родителей именно 7 апреля 2013 года на свет должен был появиться наш сын Платон.

Воодушевленные и взволнованные, не скрывая одновременно облегчения и трепета, мы принялись собираться в госпиталь, где уже втроем проведем последующие два дня. Иронии ради замечу, что на этот раз Жанна изменила своей многолетней привычке собираться в последний момент.

В полночь, как в сказке, по велению нашего многоопытного доктора, мы отправились в клинику. Мама вышла проводить нас на улицу, держа на руках Луку. Мы махали на прощание, как будто отправлялись в долгое путешествие, — так были взволнованы.

Шумел океан. Загорелую влажную кожу облизывал теплый ночной бриз. Темная южная ночь. Такая же, как вчера, и такая же, как будет завтра. Только для нас двоих она была особенной. Мы ощущали себя заговорщиками. Будто у нас был секретный план, о котором знали только мы двое.

Через несколько часов, ранним утром, окончив все больничные подготовительные процедуры, врач произнес:

— Всё отлично. Ну, — посмотрев на меня, а потом на Жанну, — начнем?

— Давайте!

Если до этого всё происходящее было для меня просто занимательно и любопытно, то в эту минуту я понял — дороги назад нет, вот оно, сейчас начнется, и спросил сам себя: остаешься? И, ни секунды не раздумывая, ответил: конечно. В это время в палату вкатили дребезжащий медицинский стол, на котором побрякивали прикрытые зеленым полотенцем диковинные стальные инструменты и приспособления — как же без них? От этого тонкого нескладного звона мне стало совершенно не по себе. Я прислонился к стене, голова закружилась. Отличное начало, посмеялся я над собой. Но эта слабость длилась одно мгновение, после чего, отмахнувшись от ненужных эмоций, я подошел к Жанне и взял ее за руку.

После я ни разу не пожалел, что эти важнейшие часы в нашей жизни мы провели вместе. Признаться, изначально, представляя свое участие в рождении, я шел не только затем, чтобы помочь, но и за эмоциями, которые — кто знает — быть может, больше в моей жизни никогда не повторятся. Но, пробыв рядом с Жанной эти долгие часы рождения новой жизни, понял, каких трудов это стоит женщине, какое это страдание, какая боль и какая работа. Это было захватывающее и волнительное таинство, которое невозможно передать словами. Удивительное единение с любимой, которое я испытал, ни на шаг не отходя от нее, держа ее за руку, приободряя, деля с ней отдых, помогая дышать и после вновь берясь за труд.

Платон появился на свет около десяти часов утра. Это мгновение до сих пор стоит у меня перед глазами: долгий, изнурительный процесс — и вот в одно мгновение врач акробатическим движением приподнимает младенца за ножки, молниеносно, безо всяких церемоний щелкает ножницами и передает его медицинской сестре. А после нескольких секунд тишины, которые кажутся вечностью, палату прорезает такой незнакомый и такой родной одновременно плач. Я так и застыл, раскрыв рот, пораженный увиденным и глотая свое возмущенное: стойте, так я же хотел сам перерезать...

Окончилось одно и тут же началось другое действо: мы в тех же декорациях держим на руках нашего первенца, фотографируемся, пишем дрожащими руками СМС родителям. Необычайное волнение, тепло и абсолютное счастье — вот что мы вместе пережили солнечным утром 7 апреля.

А после со мной произошло непредвиденное. Не успеваю опомниться, как меня просят пройти с ребенком в соседний кабинет: плановый послеродовой осмотр. На какое-то мгновение остаюсь с младенцем наедине. Мой сын. Это крошечное создание в корытце — мой долгожданный сын! Какое необычайное, неизвестное ранее чувство восторга, нежности и тревоги. Не отдавая себе отчета, инстинктивно пытаюсь отгородить его от любого, кто входит в кабинет. Мне неприятно, что к нему прикасаются, его беспокоят, о господи, берут кровь из пяточки?! Сделайте шаг назад! Отойдите! Оставьте его в покое. Эй! Не вздумайте брать его на руки. У меня вскипает кровь, я готов с кулаками броситься на медицинскую сестру. Вскоре прихожу в себя. До чего странное, неслыханное состояние! Осмотр окончен. Таким был первый час жизни Платона. И этот час мы провели с ним вдвоем. Я и наш маленький сверток возвращаемся к маме. Позже, когда я рассказал Жанне о своих ощущениях, она рассмеялась: «Поздравляю, ты стал папой».

ГЛАВА 6

Я постоянно думаю, как уже совсем скоро мне придется обстоятельно поговорить с сыном о том, что произошло с Жанной. Рассказать, как и почему так вышло, что мама дала ему жизнь, улыбнулась, приложила к груди, носила на руках, а потом ее не стало.

Почему весь первый год его жизни он провел в отелях, съемных домах и квартирах. Встречался с мамой в клиниках, праздновал ее день рождения в больничной палате, украшенной воздушными шарами и нашими семейными фотографиями. Почему?

Этих «почему» очень много, а ответ на них только один. Только я пока совсем не понимаю, как вести подобный разговор. Как быть готовым и не растеряться, услышав детское и непосредственное: «А где мама?»

Это деликатная тема. Одно могу сказать точно — я рассказываю Платону про маму каждый день: про ее привычки, любимые места в городе, нашу жизнь до его появления — про всё. Совсем недавно мы вместе выбрали фотографии Жанны, которые теперь стоят в нашем доме. Я хочу, чтобы сын знал: у него есть мама, она рядом и никогда его не оставит. И на день рождения и другие праздники я всегда говорю: «Мы с мамой поздравляем тебя...»

Не так давно мы ужинали с сыном в кафе, где часто бывали до этого с Жанной. И вот на десерт, выбирая из множества, Платон остановился на морковном торте.

— Вкусно? — спрашиваю.

— Очень!

— Тебе правда нравится?

— Да!

Так вот, сам того не зная, он выбрал любимый десерт Жанны в этом кафе. Конечно, я рассказал ему и об этом.

Уверен, однажды мы поговорим с Платоном как двое мужчин, любящих Жанну: жену и маму. Я расскажу ему историю нашей любви, историю болезни, историю чуда, которое с нами произошло (да-да, я действительно считаю, что многое из того, что приключилось с нами, было чудом). Я расскажу, какими были последние дни его мамы. И почему, зная, что она смертельно больна и жизненные силы ее на исходе, я решил не лишать своего двухлетнего сына детства и увез его на море. Время покажет, верный ли я тогда сделал выбор.

Главное, чего мне не хватает сейчас, — жизненных сил после ее ухода.

Я старался подготовиться, как только мог. Пытался представить этот момент, ведь уже не было сомнений — всё только вопрос времени. Много читал от медицинского до духовного, аккуратно расспрашивал других, выпытывая...

Всё оказалось бесполезно.

Мгновение, когда узнаешь о том, что всё кончено, парализует, делает немым, оглушенным и совершенно пустым. Сложно сказать, принесло ли это известие долгожданное облегчение. Скорее нет. Вместо облегчения пришла пустота. А потом боль.

Откровенно говоря, последующие несколько месяцев я почти не помню: самолет в Москву, казалось, сочувствующие взгляды отовсюду, пустое внимание, какие-то слова — ведь никто из нас не знает, что говорить в такие минуты, — шум, суета, люди… А потом звенящая тишина. И только я, пустота и боль.

Всё, что имело смысл в то время, — только книги и вино, книги и вино, книги, вино… Сон. Не было ничего лучше, чтобы отвлечься, заморозить боль, забыться, выключиться из ватного, тягучего времени, которое липкой патокой сковывало движение и мысли. Других чувств просто не было. Как будто кто-то опустил переключатель: ни страха, ни радости, ни тоски — только пустота, которую нечем заполнить, и боль.

С этим срочно нужно что-то делать: сопротивляться, действовать, воспрять, наконец, снова жить! Мчусь с бешеной скоростью на мотоцикле. Стою на краю крыши, где-то далеко внизу подо мной оживленный проспект. Падаю под куполом парашюта. Нет. Всё равно. Я ничего не чувствую. Как будто лежу на дне, невесомый, равнодушный, как медуза. Надо мной тонны темной воды, она заполнила мои уши, нос, легкие. Сопротивляться уже слишком поздно. Бежать некуда. Наверное, это и было дно.

Меня спас Платон. Спас невольно. Просто тем, что он есть. Если можно забыть о себе, то о сыне —

никак нельзя. Сам того не зная, малютка наполнил меня светом и не дал погибнуть.

Собственно, теперь вся моя жизнь подчинена интересам сына: во сколько я уезжаю на работу и во сколько обязательно должен вернуться. Могу я согласиться на командировку, и если да, то как надолго? Могу ли вообще пойти выпить с друзьями и прочее, прочее. Его школа, спорт, досуг, режим — всё вращается вокруг этого. Где сейчас Платон? Закончилась ли прогулка? Хорошо ли поел? Успеем ли прогуляться вместе?..

Он — отправная точка, безумная поддержка и главный ориентир. Мой сын. Наш сын. Я рассказываю ему о Жанне, а он внимательно слушает. Он знает ее голос, знает ее лицо и улыбку. А я узнаю в нем Жанну — в мелочах, в повороте головы, в кончиках пальцев, смехе. И только мучительно больно от мысли, что я не успел узнать свою Жанну до конца: Жанну-маму, Жанну-бабушку...

...А пока мы втроем в больничной палате госпиталя, где несколько часов назад родился Платон. Мы настолько возбуждены, что почти не спим. Я бесконечно вскакиваю, чтобы проверить, как там он в своей люльке. Жанна — нежнейшая мама. Рассматривает младенца, разговаривает с ним. Кормит и не выпускает из рук. Счастливо засыпает вместе с малышом. Красива, как и всегда.

Прерывая эту счастливую круговерть, в палату бесконечно входят врачи и медсестры проведать нас, принести необходимое или предложить незамедлительно сделать прививки — в общем, добрая суета.

Спустя два дня, как это предусматривают правила, нам позволяют вернуться домой. Сколько всего нового происходит с нами! Переодеть малыша, понести его на руках, усадить в детское кресло. Сажусь за руль, и мне кажется, что повсюду опасность, никто не соблюдает правил, все несутся как сумасшедшие. Конечно, в действительности единственным сумасшедшим был я, ведя машину со скоростью 10 миль в час — только бы доставить ценный груз домой в целости. Рождение ребенка действительно сводит с ума.

Дома всё готово к нашему возвращению. Мы укладываем малыша в кровать, украшенную воздушными шарами. О боже, такая большая кровать и такой маленький человек. Теперь нас всегда +1. В комнате, за завтраком, на прогулке вдоль океана, где еще недавно мы были только вдвоем. Какое счастье. Какое счастье.

Я с удовольствием вожусь с сыном: переодеваю, купаю, щекочу, укачиваю. Мне весело и легко, и нет страха. Мы ходим с ним в кафе, разглядываем людей, пока Жанна по-прежнему ест любимое мороженое, бредем вдоль океана, слушаем шум волн и заливистый лай Луки. Нам беспечно. Легко. Беззаботно. Как, собственно, и должно быть в семье, где на свет у двух любящих друг друга людей появляется желанный первенец.

Я провел с ними месяц, а потом улетел на съемки. Через пару недель вернулся. Побыл с ними недолго. И опять улетел. И снова вернулся. Налаживалась новая жизнь. Пришло время подумать, как быть дальше: оставаться в Майами или вернуться в Москву.

Но поговорить об этом с Жанной не удается. Постоянный упадок сил, головная боль, усталость. Она непривычно долго спит, бодрствуя всего по несколько часов в день. Я не придаю этому значения. Ей надо отдохнуть. Всё в порядке. Но вот к моему волнению присоединяется и беспокойство ее мамы. Что-то не так. Отмахиваемся от неприятных мыслей. Что может быть не так в этом океане счастья? Она ведь только родила. Пусть восстановится. А головная боль? Пройдет. Жанна совершенно здорова.

Мне снова на рейс. Я фотографирую Платона, чтобы через несколько недель сравнить, как он вырос. В аэропорту на прощание фотографирую и свою счастливую, улыбающуюся Жанну. Я еще не знаю, что больше никогда не увижу ее такой.

ГЛАВА 7

«Ты никогда не стал бы встречаться со мной, если бы узнал меня на пять-семь лет раньше», — сказала мне как-то она. Невыносимая, нетерпимая, избалованная вниманием и деньгами капризная красавица — столичная штучка — вот она, Жанна Фриске образца нулевых. Так описывала она себя прежнюю. Я же знал совершенно другого человека. Поверить в подобные метаморфозы сложно. Что же произошло? Ее навсегда изменил необитаемый остров, на котором она оказалась участницей программы «Последний герой». Там стало понятно, что капризы и прихоти ничего не стоят. Значение имеет лишь внутреннее содержание, равновесие, спокойствие и любовь к себе и окружающим. Убежден, что подобные изменения коснулись не многих «героев», однако Жанна стала счастливейшим исключением из правил, вернувшись в Москву, как она шутливо говорила, «просветленной», умеющей радоваться мелочам, ценить мгновение, вернулась счастливой, просто другой. Она вернулась к себе настоящей. Из-под мишуры и блеска появился человек, живой, подлинный, искренний — какого мне и посчастливилось узнать.

Я никогда не замечал в ней стремления что-то доказать, добиться вопреки или назло. Она была лишена духа соперничества. Она знала себе цену. Жила легко и мягко. Безмятежность и свет — вот чем была эта женщина. И создавалось ощущение, что единственное, для чего она рождена и ради чего живет, — это любовь. Она и была сама Любовь.

Ее было легко любить, и в нее влюблялись без оглядки.

Где бы Жанна ни оказывалась, ее незамедлительно окружали незнакомые люди: обнимали, целовали, спрашивали, как она, желали «всего самого наилучшего, в первую очередь, конечно, здоровья...». И она улыбалась и искренне принимала эти пожелания, ни разу, на моей памяти, никому не отказав во внимании.

Я до сих пор получаю письма и сообщения от поклонников Жанны и читаю почти все. Они — словно еще одна тонкая нить, связывающая меня с ней. Большинство этих посланий объединяет любовь к Жанне и восхищение ею.

«Жанна, для меня вы пример того, как нужно ценить то, что имеешь, как просыпаться с улыбкой и радоваться каждой минуте, каждому новому дню. Благодаря вам я поняла, как нужно любить жизнь!»

«Второй день думаю о Жанне и второй день плачу. Не потому что она мой кумир, а просто потому, что я человек. Она действительно заслуживает уважения и восхищения! Настолько она чистый, светлый и искренний человек».

...Болезнь открыла ее для меня с еще одной удивительной стороны: Жанна умела принимать жизнь такой, какая она есть, и не предъявлять судьбе претензий. В этом, как мне кажется, был секрет ее удивительной силы и спокойствия.

Я никогда не видел, чтобы Жанна плакала. Никогда. Ни в минуты счастья, ни в мгновения отчаяния. Что это? Концентрация? Железная воля? Наверное, это свойство ее характера — плакать в одиночестве или, быть может, не плакать вовсе, не знаю. Сложно представить, как человек, столкнувшийся с подобным потрясением, может держаться.

Ведь захлестывает и душит боль, отчаяние, обида, злость, что проклятый рак пришел так не вовремя (хотя как вообще он может быть вовремя?). Болезнь делает человека очень уязвимым... Но моя удивительная, нежная и тонкая Жанна из-за болезни не плакала.

— Скажи, тебе страшно?

— Да, мне страшно...

— Я никогда не видел твоих слез.

— Мне хорошо с тобой. Поэтому я не плачу.

Я отчетливо понимал, как остро она нуждается в сильном плече и поддержке именно сейчас, и поэтому не имел права на слабость. Не знаю наверняка, но очень хочу думать, что у меня получалось быть сильным для нее.

На протяжении ее болезни мне не было жаль себя. Мое сердце разрывалось от жалости к любимой. От ужаса за нее. От чувства несправедливости. Почему, Господи, почему именно Жанне ты послал такое испытание? Моей молодой, красивой жене, только-только родившей первенца, обожаемой поклонниками и боготворимой дома? Почему? В самые тяжелые минуты, когда отчаяние вгрызалось в сердце, захватывая голову, душу, всё существо, я закрывался в ванной комнате больничной палаты, включал воду и выл от бессилия и злобы.

Нельзя, невозможно, исключено, чтобы она видела мои слезы. Только поддержку, только уверенность, только заверения, что мы победим. Вместе. Обязательно победим.

Можно ли определить тот самый момент, когда в ее организме случилась необратимая поломка, повлекшая за собой рак? Образ жизни, о котором судачит бульварная пресса? Стоит ли об этом? Ее настоящим хобби было следить за собой. И она делала это вдохновенно, продуманно и, что говорить, очень успешно.

Конечно, ничто человеческое не было ей чуждо. Она обожала шампанское, любила танцевать до утра. Но Жанна никогда не была человеком крайностей. Спорт, здоровое питание, йога — вот что действительно вдохновляло ее.

Некоторые врачи выдвигали предположение: катализатором рака могла стать беременность. Не берусь судить. В разговорах мы практически не касались этой темы. Только однажды я аккуратно спросил:

— Ты никак это не связываешь? Не злишься на сына?

— Было бы ужасно горько страдать так, как страдаем мы, если бы в нашей жизни не было Платона, — ответила она. — Ради него мы обязаны пройти все эти испытания.

И больше мы к этому не возвращались. Действительно, ребенок на протяжении всей болезни был для нее путеводной звездой, стимулом и главной из причин, почему важно, даже просто необходимо сопротивляться болезни, бороться, в конце концов поправиться. И она сражалась. Ради него, ради нас, ради нашей семьи.

Важнейшей в понимании проблемы рака и борьбе с ним является необходимость регулярных проверок. Ежегодный чек-ап, который следует проводить каждому без исключений. Заведите привычку систематически сдавать анализы, как минимум общий анализ крови. Это можно сделать в любой поликлинике. Покажите результаты терапевту: есть ли повод волноваться. Хорошо известно: рак, диагностированный на ранних стадиях, гораздо эффективнее поддается лечению по сравнению с запущенными, поздними формами. Существует определенный стандарт. Мужчинам после сорока необходимо раз в год посещать уролога и сдавать анализы предстательной железы. После пятидесяти — каждые полгода. Женщинам после сорока раз в год обязательно делать маммографию и наблюдаться у гинеколога. После пятидесяти — каждые полгода. Если в вашей семье есть наследственные гормонозависимые раки, составьте с вашим онкологом индивидуальный план обследования. А если вы решились на онкогенетический анализ, пожалуйста, не трактуйте его результаты самостоятельно. И не забывайте о ежедневной профилактике: физической нагрузке, правильном питании, режиме. Постарайтесь меньше употреблять или вовсе исключить сахар, ограничить жирное, острое, жареное. Постарайтесь не жить и не работать на износ.

ГЛАВА 8

...В июне 2013-го я на три недели улетел из Майами в Москву и за это время едва ли смог толком поговорить с Жанной по телефону (Жанна спит, Жанна кормит, Жанна только что покормила и уснула, Жанна еще не проснулась). Это настораживало. Даже в самом напряженном гастрольном графике у нее всегда находилось время на звонки и сообщения мне. А когда ее СМС, приходящие с опозданием сначала на часы, а потом и на сутки, стали короткими, неопределенными, лишенными «наших» слов, а потом и смысла, меня охватила тревога.

— Пожалуйста, умоляю, сходи к врачу, — уговаривал я.

— Не могу. Всё как во сне. Ты вернешься, мы сходим вместе. Скорее возвращайся...

Перед моими глазами снимок нашего прощания в аэропорту: красивая женщина машет мне рукой и улыбается. На смену этой сцене пришла другая, тревожная, невообразимая: во время прогулки Жанне стало плохо, она потеряла сознание, и это происшествие вынудило ее обратиться за помощью к доктору. Заключение и снимки уже готовы. Почему же она больше ничего не предпринимает? Сходя с ума от неизвестности, не находя места от волнения, но все же подбадривая себя, что всё обойдется, я летел в Майами.

— Я встречу тебя. Во сколько твой самолет?

— Нет, прошу тебя, не нужно, любимая. Только не садись за руль. Я вот-вот буду дома.

Жанна пишет мне, что не может подняться на ноги. Уже несколько дней она не встает с постели — так безумно болит и кружится голова. Но я даже не представляю, насколько всё плохо.

Мой самолет приземляется поздно вечером. Мчусь домой тем самым, «нашим» маршрутом, которым совсем недавно мы счастливо плыли в машине с открытым верхом, целуясь и держась за руки. На сей раз я один. Как будто этот рай больше не принадлежит мне, я здесь чужой. Вбегаю в квартиру. Какой же пустой, холодной и темной она мне кажется теперь. Целую сына… Захожу в спальню. Моя Жанна. Опускаюсь на колени. Прикасаюсь к горячим, сухим губам. В полубреду она узнает меня.

— Привет, любовь… — И пытается встать.

Не верю своим глазам. Что с ней? Как такое возможно? Опираясь о стену, она делает несколько шагов, и я успеваю подхватить ее за миг до того, как она теряет сознание. Боже! Что происходит? Бережно кладу Жанну в постель. Нужно срочно действовать. Не время для эмоций. Всё будет хорошо.

Я схватил бумаги от дежурного терапевта и набрал его номер. На часах почти полночь. Мне ответил пожилой, спокойный, но твердый голос, казалось, за долгую жизнь привыкший к поздним неотложным звонкам.

— Меня зовут Дмитрий, я муж Жанны, вашей пациентки, вы осматривали ее несколько дней назад. — Впервые в жизни произношу слова, которые мне предстоит повторять снова и снова на протяжении лет. — Что с ней?

— Я не берусь поставить диагноз, — ответил голос. — Это не в моей компетенции. Вам следует немедленно обратиться в госпиталь. К исследованиям вашей жены я приложил справку, в которой сформулировал свои предположения. Прочтите внимательно и передайте ее вашему лечащему врачу.

На маленькой голубой бумажке — крупными буквами и подчеркнуто: brain mass.

— Что это?

— Возможно, речь идет об отеке или опухоли, не могу утверждать.

— Что делать?

— Срочно госпитализируйте ее! И первым делом сделайте МРТ. Это я сказал вашей жене и повторяю вам. Поспешите.

Почему она не сказала мне? Почему бездействовала мать? Но не время для вопросов. Итак, госпиталь. Как это сделать? Какой именно? Ведь не может быть случайный. Скорее! С каждым часом Жанне все хуже.

Той ночью я поднял на ноги всех, кому сумел дозвониться, — врачей, знакомых и даже незнакомых людей. Мне подтверждают: нельзя везти Жанну в первый попавшийся центр, нужны лучшие специалисты в области — экспериментировать некогда. Не понимаю, каким чудом, но и в далеком Майами на выручку приходит то, что в России мы называем «связи», благодаря которым попасть именно к нужному доктору — возможно. Друзья друзей, слово за слово, случайное совпадение — и вот он уже ждет и согласен принять нас утром. Остается только набрать знакомое с детства и такое страшное теперь 911.

— Молодая женщина, тридцать восемь лет лет, без сознания. Пожалуйста, помогите.

В это сложно поверить тем, кто родился и вырос в России, — насколько слаженно и четко работает система скорой помощи в Соединенных Штатах. Через две минуты в дверь постучали. На вызов отреагировала ближайшая спасательная бригада — пожарная команда, которая наравне с медиками может оказать неотложную медицинскую помощь. Квартиру наполнили люди в пожарной униформе. Без суеты, но и без промедлений, не мешая друг другу, они делают свое дело, работая, как единый механизм: один осматривает пациента, второй раскладывает носилки, третий связывается с автомобилем, четвертый опрашивает меня. Почему-то при виде этих мужественных, сильных и красивых людей на душе становится спокойнее. Жанну поднимают на ноги. С трудом ступая и держась за исполинов в пожарной форме, она при этом... вы только посмотрите — заигрывает, подмигивает, пытается пошутить. Глазам не верю, да она кокетничает с ними! Может, всё не так страшно?

Каталка, лифт, распахнутые двери машины скорой помощи. В фойе сталкиваемся с одним из соседей, мы видимся каждый день вот уже много месяцев и хорошо знаем распорядок жизни друг друга — как раз сейчас он возвращается с прогулки с собакой.

— Что стряслось?

— Надеюсь, ничего серьезного. Жанне нехорошо.

— Вам нужна помощь?

— Спасибо, кажется, мы в надежных руках. Думаю, мы туда и обратно. Так что на днях увидимся, ладно? Мы... вернемся.

Мы не вернемся. От адреналина дрожь по всему телу. Это приключение мне не по душе. Я держу Жанну за руку и смотрю через плечо в окно медицинского автомобиля на уменьшающуюся полоску пляжа, на исчезающий из вида наш дом: вот дорожка, по которой мы не спеша шли завтракать, вот кафе, где Астрид подает блинчики и кофе, океан, где мы с сыном встречали и провожали солнце, — рай, где мы были счастливы...

Всё это остается позади. Скорая помощь покидает расслабленное побережье, увлекая нас в душный, по горло заасфальтированный сити. Машина останавливается у крыльца госпиталя под вывеской «Экстренная медицинская помощь». Из-под колес врассыпную бросаются ящерицы, прячась в трещинах больничного пустыря. Ни я, ни Жанна, которая в полубреду, отчетливо не понимаем, что с нами происходит. Но внутри что-то подсказывает — как было, больше не будет. Наш прекрасный сон кончился.

ГЛАВА 9

Jackson Memorial Hospital. Нас без промедлений помещают в огромную, мрачную, тускло освещенную комнату, наполненную пациентами, которых, так же как и нас, доставили машиной скорой помощи. Очень холодно. И очень не по себе. Тесное пространство между койками разделено занавесками, не спасающими от разговоров, стонов, плача и криков. Людей много. Везут отовсюду и всех, не разбираясь, кто перед ними — бездомный, преступник, служащий или поп-звезда. Нас оставляют, забрав все имеющиеся на руках анализы, предупредив — придется подождать. Ожидание растянулось на долгие шесть часов.

Жанна очень слаба и спит. Но даже если бы она проснулась, то вряд ли поняла, как из нашего солнечного рая мы попали в этот подвал. Укутав ее больничными пледами, я опускаюсь на табуретку возле ее кровати, сижу неподвижно, пытаясь осознать, что происходит. Мысли никак не собираются воедино. Одно понимаю наверняка — пока мы всё делаем правильно, мы в нужном госпитале, с нужным врачом. Я растерян, но в то же время уверен — скоро всё разрешится, осмотр займет какое-то время, но Жанну точно поставят на ноги. Одна только маленькая бумажка голубого цвета с подчеркнутыми словами brain mass терзает душу сомнениями.

...С шумом влетает спасательная бригада, толкая перед собой каталку. Как в кино, только кровь настоящая и повсюду: на простынях, изорванной одежде пациента, руках врачей... Вот кровь уже на полу, ее забрасывают свежими полотенцами. Из гипноза происходящего меня вырывает истошный крик мужчины на этой каталке. Господи, как же ему помочь? Визг шторки, другой, третьей — и происходящее скрывается за мутной ширмой, напоминая о себе только звуками слаженной работы медперсонала, стонами больного и кровью, которая везде.

«Сколько еще мы должны здесь пробыть?» — спрашиваю у пробегающего мимо врача. «Еще какое-то время».

Мне еще только предстоит привыкнуть к полным неопределенности, обтекаемым словам врачей, редко когда говорящим прямо и точно, что за границей, что дома. Вскоре я научусь задавать вопросы по существу.

А пока... Пока я поправляю плед на спящей Жанне, всего она обернута, кажется, в четыре — холод страшный. И усаживаюсь на прежнее место. Ждать.

...Старик доктор, с которым я ночью говорил по телефону, — мог ведь он ошибиться? Мало ли что он может подозревать? Он просто терапевт. Всё обойдется. Brain mass... Только не у нее. Только не сейчас.

Включаю в голове видеофильм наших двух счастливейших лет. Я смотрю это яркое чувственное кино и забываюсь. Сам спрашиваю себя: должно же быть что-то, что вспоминать противно? Да нет. Не могу припомнить ни одной серьезной ссоры.

Наши размолвки не длились и нескольких часов. Редкие вспышки ревности, как у всех молодых пар. И, конечно, по совершенной, ничего не значащей глупости. Я недолюбливал ее прошлые отношения. Ее злило, если я был внимателен к другим женщинам, более чем к ней. Но нам всегда удавалось свести любую ссору к шутке. Или, в крайнем случае, разрешить обиды объятиями и поцелуями. В нашей семье было шутливое табу на единственную тему: политика. Затрагивая ее, мы, сами не ожидая, отчего-то становились непримиримыми спорщиками и, обжегшись однажды, договорились никогда не затевать подобные разговоры.

Спустя долгие часы в приемном покое Жанну, наконец, увезли на МРТ. Еще два часа понадобилось, чтобы изучить снимки. Вглядываюсь в монитор через спины медперсонала, наивно и тщетно пытаясь прочесть черно-белые замысловатые изображения. Требуется срочная госпитализация! Однако мы попрежнему находимся в неведении. Что с ней? Это надолго? Как ей помочь?

Жанну отвозят в отдельную палату. И вскоре входит первый лечащий врач в нашей жизни. Али Азиз Султан. Об этом человеке стоит сказать особо. В минуты отчаяния и растерянности ему всегда удавалось подобрать для нас правильные слова. Только ему было под силу успокоить и вселить в нас надежду. Иногда нам приходилось часами дожидаться его появления, но мы твердо знали, он никогда не скажет, что слишком занят или должен уйти. Али опекал нас больше, чем врач. Он стал нашим другом, проводником в этом сумрачном мире болезни. Он стал для нас источником мудрости и спокойствия, и за это я бесконечно признателен этому человеку.

Али родился в Афганистане, откуда его родители вскоре бежали, спасаясь от войны. Его отец окончил Первый московский медицинский институт. Позже, желая отвлечь меня и заодно вспомнить юность, он просил разговаривать с ним по-русски. Али пошел по стопам отца и состоялся, вскоре после нашего знакомства возглавив отделение нейрохирургии госпиталя при Гарвардском университете в Бостоне. Но успех и признание не вскружили голову доктору Султану. Как и раньше, на один месяц в году он возвращается в родной Афганистан, где проводит бесплатные операции, помогая нуждающимся.

Мы окажемся тесно связаны на долгое время. А пока доктор Али старается мягко и обстоятельно объяснить, что происходит: Жанне требуется пункция. «Мы проделаем в голове вашей жены небольшое отверстие и тонкой иглой возьмем образец тканей мозга. Нам надо удостовериться в диагнозе. К сожалению, это единственный верный способ». Требуется согласие родственников, и я прошу дать мне двадцать минут на раздумья.

Выхожу на раскаленный пустырь перед госпиталем. Советоваться мне не с кем. Дома — мама Жанны с нашим ребенком. Она напугана, беспомощна и не может принять никакого решения. В Москве ночь. А у меня есть только двадцать минут. Очередная ящерица торопливо семенит по асфальтированному больничному пустырю. И, прежде чем юркнуть в расщелину под желтым рассохшимся кустом, вдруг оборачивается и смотрит на меня. Вдыхаю и выдыхаю раскаленный воздух, который здесь совсем не пахнет океаном. Ну что же, какой бы ни была страшной правда, лучше узнать ее поскорее. Врага нужно знать в лицо.

Я подписываю бумаги с согласием, и Жанну увозят на операцию.

Кажется, это были самые мучительные часы ожидания в моей жизни. Никогда прежде я не сталкивался с врачами, не бывал в больницах, не открывал дверцы машины скорой помощи. Никогда ранее близкие мне люди не оказывались на операционном столе, и чувство вынужденного ожидания, сводящее с ума своей неопределенностью, — для меня тоже новое, как и всё происходящее в этот момент. Меряю шагами пустынный плац перед госпиталем. Мимо — люди в медицинских халатах, инвалидные коляски, близкие других пациентов. А я ищу глазами ту ящерицу, что обернулась посмотреть на меня. Наивно загадываю: сейчас найду ее, и всё будет хорошо. Кошмар кончится, мы снова вернемся в сказку. Но десятки похожих друг на друга ящериц вертят головами по сторонам, и ни одна больше не смотрит в мою сторону.

Господи, как же долго. Что они делают с ней? Как она? Почему я не могу держать ее за руку? Почему ей, а не мне сейчас протыкают мозг тонкой иглой? Ожидание невыносимо. Наконец приходит СМС: все прошло благополучно. Спешу обратно: приемный покой, лифт, коридор (сколько еще раз мне придется проделать этот унылый маршрут).

В палате Жанна постепенно приходит в себя. Видит меня, улыбается. Обнимаю ее и целую.

— Представляешь, пока я тебя ждал, познакомился с ящерицей, чуть не влюбился.

— Не может быть! Она не в твоем вкусе...

Смеемся — и становится легче.

В конце этого бесконечного дня в палату вновь входит доктор Султан. Готовы результаты пункции. С ним еще один врач с польской фамилией. Садимся. Жанна мирно спит, а нам троим предстоит непростой разговор.

Взяв ручку, Али чертит четыре окружности с римскими цифрами внутри. У Жанны астроцитома. Что это вообще? Первый раз слышу. По уровню сложности и опасности для пациента существуют четыре ее разновидности: первая — самая «простая», а четвертая — самая опасная.

Разумеется, всё много сложнее. Форм рака великое множество. В описании Всемирной организации здравоохранения только опухолей центральной нервной системы более 100 подтипов. От опухолей головного мозга, как правило, страдают дети, а среди взрослых — мужчины. По статистике, женщины реже сталкиваются с этим онкологическим заболеванием.

Опухоли мозга делятся на первичные — те, которые появились собственно в тканях головного мозга, в его оболочках или в черепных нервах. И вторичные — это метастазы.

Астроцитома — первичная опухоль, развивающаяся непосредственно из мозговой ткани.

Самый распространенный способ лечения опухолей головного мозга — хирургический. Но часто вмешательство невозможно из-за расположения опухоли. Самое успешное лечение на сегодняшний день — это сочетание хирургии, химио-, радио-, а также активно развивающейся сейчас иммунной терапии.

«Так вот, — продолжает наш врач. — У Жанны не первая, но и не четвертая степень. — Зачеркивает окружности. — Я опасался, что третья. К счастью, данные не подтвердились, и поэтому могу сказать: у нее что-то среднее между второй и третьей».

Это далеко не единственная уловка, которыми часто пользуются врачи в общении с пациентом. В действительности у Жанны была прогрессирующая опухоль третьей степени, и уже тогда у докторов не было сомнений — спастись не удастся, а счет идет на дни. Может быть, на недели.

Однако именно этого Али мне не сказал. Напротив, тот разговор вселил в меня веру, что еще не всё потеряно — пациенты с опухолями мозга на более поздних стадиях могут прожить не год и не два, а десятки лет. Врач не скрывал от меня, что ситуация крайне серьезная. Но вместо того, чтобы сожалеть и готовить меня к смерти, попытался вдохновить на сопротивление. Именно в словах Али я нашел спасительную соломинку, за которую немедленно ухватился. Мне казалось, что в жизни должно быть место надежде, без которой любая борьба не имеет смысла.

Умение врача разговаривать с пациентом и его семьей имеет значение на всех этапах лечения. Ведь от того, как сообщить пациенту серьезный диагноз, может зависеть его желание сопротивляться болезни, желание снова встать на ноги. Или, наоборот, небрежно брошенное «это рак третьей степени» может стать приговором для больного, нуждающегося в тонкой и деликатной поддержке.

На мой взгляд, нет ничего хуже замалчивания, практики «лежите, лежите, мы знаем, что делаем, а вам не обязательно знать». Наверное, я предпочел бы услышать всё как есть, чтобы избежать страха неизвестности, догадок и домыслов. Ведь каждый пациент и его близкие — не просто зрители и статисты, а главные действующие лица в драме под названием «рак» и не должны оставаться безучастными.

Наш опыт лечения был международным (Жанна лечилась в США, Германии, наблюдалась и консультировалась в России). Я заметил, что от географии зависело то, как разговаривали с нами врачи. Так, например, в Германии говорили сухо, прямо, не поддерживая никаких иллюзий о будущем жены. Вообще к вопросам жизни и смерти там относятся куда более прагматично, чем в России, где я столкнулся с удивительной человеческой отзывчивостью врачей — и в то же время с чувством смирения перед болезнью. О воодушевлении, о заряде на борьбу в России речи не было и в помине. Показательным для меня остается опыт лечения в США. Несмотря на тяжесть диагноза Жанны, настроение врачей чаще всего было боевым: «Ну что же, дело дрянь, но мы поборемся». Это необыкновенно поддерживало меня в трудные времена.

Исходя из своего опыта могу сказать: где бы вы ни лечились, будьте внимательны, будьте настойчивы. Не стесняйтесь задавать вопросы, особенно если это не первая встреча с врачом. Запишите их заранее, задайте их все, пусть они даже будут наивными. Вы должны понимать, что происходит. Вы должны понимать перспективы. И самое главное — не спешите отчаиваться, а незамедлительно действуйте.

Однако сидя у постели спящей Жанны в присутствии двух докторов, я еще совершенно не осознаю, чем она больна, что вообще происходит. Мой медицинский английский далек от совершенства. Задыхаясь от обилия терминов, пытаюсь понять, но слышу только повторяющееся tumor, tumor, tumor... Али, что это такое? К разговору присоединяется тот самый доктор с польской фамилией. Он произносит что-то на смеси польского и белорусского — «вспухленне». Опухоль.

...Сколько бы нам ни было лет, какими бы успешными и самодостаточными мы ни были, мы все равно — дети. Мы — дети, пока живы наши родители. Первым человеком, с которым я поделился нашей бедой, была моя мама. Сразу после разговора с врачами я набрал ее номер.

— Что, сынок?

— Они сказали, это опухоль.

— То есть рак? — переспросила мама.

Так в моей жизни впервые прозвучало это слово. Так началась другая жизнь.

— Я люблю тебя, — сказала мама. — Передай Жанне, мы ее любим.

Я повесил трубку и побрел опять через асфальтовый плац и приемный покой к лифтам, потом по коридору в палату. Пока я шел, в голове вертелось совсем не слово «рак», а другое — «любовь».

Я вошел в палату, сел рядом с Жанной, взял ее за руку. Она открыла глаза.

— Ты слышала, о чем мы разговаривали с врачами?

— Нет, а что случилось?

— Похоже, нам придется здесь задержаться. А я просто люблю тебя.

Она улыбнулась.

Скоро болезнь многое поменяет в ее облике. Ко многому придется привыкнуть заново. Единственное, что окажется неподвластным раку, — это ее улыбка. Светлая и теплая. Она останется неизменной.

Я пересказал Жанне слова врачей. Что пока мало что понятно. А планы на будущее они собираются обсудить с нами только завтра.

— Ты любишь меня? — переспросила она.

— Люблю.

— Значит, всё будет хорошо. — И уснула с улыбкой на губах.

ГЛАВА 10

Больничное окно затянуто стальной сеткой, настолько мелкой, что разглядеть сквозь нее можно только цвет неба и асфальта. Больше никаких деталей, как ни вглядывайся, как ни напрягай зрение, всё тщетно. Стальные оконные рамы намертво запаяны и не открываются. Кажется, что выхода нет. Только доносится шум живущего внизу города. Автомобили, люди торопятся куда-то, не останавливаясь ни на миг. День за днем, от одного восхода к другому: со своими радостями, трудностями, заботами. Просто живут и вряд ли сейчас думают о том, как хрупка бывает жизнь, каким быстротечным счастье. И как это обрывается в одно мгновение за мелкой сеткой больничного окна, разделяющей жизнь на до и после, на жизнь там и здесь. И огромный мир сжимается до размеров палаты.

Возникает ощущение абсолютного одиночества, будто ты единственный из всех переживаешь сейчас нечто подобное, в то время как все остальные беспечны и легки. Какое заблуждение.

За моей спиной в медицинской кровати лежит та, которая еще недавно была самой здоровой женщиной на свете, та, которая родила нашего сына и с которой я собирался прожить всю жизнь, состариться и умереть в один день. И все эти планы поставил под сомнение один-единственный диагноз с «неутешительным прогнозом». За что? Неужели за то, что мы были так беспечны и не думали о плохом? Что мы сделали не так? Почему Жанна? Она была самым здоровым, эмоционально и духовно сбалансированным человеком из всех, кого я знал. Никакой хирургии красоты, никакого вмешательства в здоровье и тело. В чем мы виноваты и как теперь с этим жить?

Пациенты часто задают эти вопросы. Кажется, если найти на них ответы, то всё образуется, вновь встанет на свои места, можно будет что-то поправить, переиграть.

Всю жизнь я веду дневник. Иногда чаще, иногда реже. Для меня это способ разобраться в себе, а в самые отчаянные минуты дневник был просто жизненной необходимостью, чтобы не сойти с ума. Мне оказалось не с кем разделить неожиданно свалившиеся на меня потрясения. И поэтому в свободные минуты я писал. В те дни Жанна почти не разговаривала и плохо понимала, что происходит. Мне страшно не хватало ее. Я привык к тому, что она — мой самый верный и единственный собеседник. Я разговаривал с ней в моем дневнике и не рассчитывал на то, что она когда-нибудь это прочтет.

Из дневника, лето 2013 года:

«Ты заболела.

"За что?" "Почему?" С тобой я ощутил гармонию, спокойствие, радость, добро, любовь. Не было драм и истерик, проклятий и битой посуды. Наоборот —

была душа. Мы не размениваЛись на мелочи, не искали подвохов, не терзали себя и друг друга. Когда мы вдвоем, я ощущаю равновесие. Мы — вода и ветер. Тогда почему это произошло? Ведь мы, как я думаю, не нарушили баланс. Мы просто были счастливы. Только ты и я. "Почему?" Быть может, тяжелые испытания даются тем, кто может вынести их достойно? Да нет, сколько примеров. Ведь мы не единственные. Тогда что мы — просто статистика? Просто не повезло? Одно знаю точно: это испытание не должно сломить ни одного из нас. В нас есть свет. И я не хочу, чтобы он погас. В этом я вижу наше испытание. И если выдержим — значит, будем светить еще ярче. А если нет?»

Тогда я задавал себе эти вопросы впервые.

Мы с Жанной никогда не разговаривали о смерти. С какой стати? Про старость — да. Жанна любила фантазировать на эту тему, представляя себя сухой загорелой старушкой с длинными седыми волосами. Шутила, что будет жить на берегу океана, баловаться марихуаной и флиртовать с серферами. Забавная моя.

Не скрою, когда я услышал — «рак», первое, что пришло мне в голову, — «смерть». Мне стыдно, ведь это невежество. Рак опасное, но не всегда смертельное заболевание. Мои знания были (да, пожалуй, и остаются) довольно поверхностными. Никто из моих родственников тяжело не болел. Я ничего не знал, просто потому что жизнь не сталкивала. Я был оглушен, у меня не укладывалось в голове, как жизнь может выписывать такие зигзаги, делая крутой разворот — от чистого счастья к тихому ужасу.

Мало кому удается безропотно и спокойно принять известие о болезни. Существует общепринятая градация эмоций, которые испытывает пациент или его близкие, узнав о тяжелом диагнозе.

- Первая стадия — это отрицание. «Этого не может быть, произошла ошибка!»
- Вторая — гнев, сопровождающийся вопросами «почему?», «за что?». В этот момент пациент обвиняет в происходящем других и даже себя.
- Третья — торг, попытка договориться с судьбой, попытка всё «исправить».
- Депрессия.
- И, наконец, последняя, пятая стадия — принятие, или смирение.

Психологи отмечают, что далеко не каждый проходит через все пять перечисленных стадий и необязательно в приведенном порядке. Однако, я убежден, осознание происходящего не только важно, но порой спасительно.

Болезнь — такая же часть жизни, просто, в отличие от счастливых моментов, большинство предпочитает ее не замечать. Все мы, пока здоровы и счастливы, пока не коснулось нас или кого-то из близких, гоним от себя мрачные мысли. Болезнь всегда не вовремя и некстати. Болезнь, а тем более тяжелая, — всегда удар. Только она, думаю, не наказание и не расплата, а скорее важный урок и даже счастье. Счастье через страдание.

Болезнь заставляет посмотреть на мир другими глазами, привыкнуть к мысли, что каждый в той или иной степени нуждается в поддержке, любви, сострадании. Болезнь учит ценить сиюминутное, благодарить за каждый новый восход, радоваться мелочам. Это горький, но необходимый опыт, после которого жизнь уже никогда не будет прежней. А на вопросы «почему» и «за что» я так и не нашел ответ. Просто потому что.

Жанна все время спала, не приходя в себя, изредка открывая глаза. Было понятно, она не здесь, где-то в сумерках, где-то между жизнью и смертью. Однако иногда наступали минуты просветления. И тогда я забирался на ее больничную кровать, и мы разговаривали. Мы были ошарашены. Рак мозга.

Самым откровенным из тех больничных разговоров был разговор о Боге. Жанна была верующим человеком, хотя в церковь ходила редко. В тот день я признался ей:

— После того, что произошло с тобой, как я могу поверить в Бога? Ты не заслуживаешь всего этого.

— Никто из нас не знает, каким был изначальный план... — ответила она мне.

Я взял ее за руку.

— Знаешь, сколько бы ни было нам отпущено и каким бы трудным ни был этот путь, я хочу пройти его вместе с тобой. Я люблю тебя и буду рядом всю нашу жизнь, какой бы сложной она ни оказалась. Я буду бороться за тебя сколько хватит сил...

В голове крутилось дурацкое: «...пока смерть не разлучит нас». Почему вдруг? Формальные слова из официальных текстов вдруг оказались осязаемы и значимы. И я впервые задохнулся от ужаса: это на самом деле происходит с нами обоими здесь и сейчас; Жанна действительно серьезно больна, и всё может кончиться плохо…

Нет. Ни за что. Тогда я даже не мог представить, через что нам предстоит пройти, сколько придется биться за жизнь и свое право на счастье. Но уже тогда твердо знал: если есть хотя бы один шанс вырвать мою девочку из этого кошмара, я сделаю это. Я переверну весь мир, найду лекарство, врачей, больницу, что угодно, но только не сдамся.

— Ты веришь мне? — спросил я ее. Она кивнула, улыбнулась и закрыла глаза.

Так началась наша больничная жизнь и наша борьба. И пока я в душе «вел торги», ее принятие болезни было абсолютным. Никогда — ни взглядом, ни жестом, ни движением брови — она не дала никому понять, что сердится на судьбу. В свойственной ей манере, Жанна восприняла свою болезнь стоически, без жалоб. В эти роковые дни она, как и прежде, вместо того чтобы плакать, улыбалась. Помнишь? «Если не знаешь, что сказать, — улыбнись». Если больно так, что хочется выть, — улыбнись. Если страшно — улыбнись, страх отступит.

Из дневника, лето 2013 года:

«…Я восхищаюсь ею. Доктора говорят, что ей важна поддержка. Поэтому я рядом с ней, не отходя ни на шаг, чтобы давать силы бороться. Она не видит, но когда она спит, я закрываю за собой дверь и плачу, потому что еще не могу принять произошедшее. Меня восхищает ее принятие. Знаю, что ей нелегко, но как она спокойна. Она знает, что не может ничего изменить, грустит, но не отчаивается.

Она верит, что выстоит, и при этом не питает иллюзий. Это не я поддерживаю. Это она поддерживает меня».

И сейчас мне кажется важным повторить: какой урок мужества преподала мне эта хрупкая девочка, ни разу не возроптавшая на жестокость обстоятельств, сделавших ее совершенно беспомощной, заставивших ее, первую красавицу, перемещаться в коляске, принимать препараты, до неузнаваемости меняющие ее лицо и тело. Она приняла этот вызов. Это было ее сражение, битва каждого дня. Как я уважаю ее невероятный характер.

> Болезнь и лечение бывают безжалостными, сильно и безвозвратно меняя внешность, влияя на характер, поведение, лишая возможности двигаться, говорить. Будьте готовы к тому, что человек изменится. Примите это. Постарайтесь быть сильными, потому что, когда болеет один человек — болеет вся его семья, и силы и терпение понадобятся всем.

ГЛАВА 11

Пожалуй, нет разницы, в какой стране и за какие средства вы получаете лечение. Больница — это тяжело.

Независимо от времени суток в палату может войти дежурный врач и забрать Жанну на очередное исследование, тест, МРТ, сканирование. Ее опутывают проводами, перекладывают из одной трубы в другую, подключают к сотням датчиков. И, кажется, этому не будет конца.

По часам в палату входят медсестры, принося таблетки и микстуры, нащупывают «живое» место на исколотой руке, чтобы взять еще, и еще, и еще кровь. Каждую ночь около трех дежурная медсестра зажигает в палате свет. «Мисс Фриске, вы слышите меня? Мисс Фриске, ответьте!» Я срываюсь. «Оставьте ее в покое! Вы в своем уме? Сейчас три часа ночи! Неужели сложно понять, что она спит! Три часа ночи! Она не слышит, потому что спит. Она и днем вас не слышит, потому что тоже спит. Пожалуйста, оставьте нас!» — «У нас инструкции».

Каждое утро около шести в палату набивается не менее восьми человек, и каждое утро день ото дня, неделя за неделей я отвечаю на их вопросы: симптомы и жалобы, общее состояние и диагноз. Горькая ирония: мой медицинский английский с каждым днем все лучше.

Головные боли сводят Жанну с ума. Она не приходит в себя, только по стонам понимаю — ей снова больно, она просит о помощи. Вскакиваю и вызываю дежурного. Скорее, обезболивающее!

Врачи выполняли свою работу, а я сходил с ума, когда видел, как, опутанная датчиками и проводами, Жанна, не осознавая происходящего, день ото дня пытается встать и пойти. Но она слишком слаба, чтобы сделать даже несколько шагов. Всё, что мне оставалось, — днем и ночью быть начеку, чтобы успеть подхватить ее и вновь уложить в кровать…

Жанна лежит в отдельной палате. Как и полагается пациентам, на больничной кровати с колесиками. Я коротаю ночи на узком и коротком диване, на котором нельзя вытянуться в полный рост. До сих пор помню одну из первых больничных ночей, когда действительно до смерти испугался. Я спал на расстоянии вытянутой руки от кровати Жанны. Вдруг проснулся от незнакомого дребезжащего звука. Она лежала напротив, широко открыв глаза, и испуганно смотрела на меня, а ее тело, как будто не принадлежащее ей, изгибалось в немыслимых, неестественных позах, выкручивалось, гнулось, дрожало. Я подскочил, нажал кнопку тревоги и включил свет. Попытался обнять ее, удержать силой, успокоить, повторяя: «Я рядом, я рядом, сейчас всё пройдет…» Жанна будто стала заложницей собственного тела, не могла выговорить ни слова и подчинилась этой безжалостной судороге. Это было ужасно.

Так проходит неделя за неделей, а у врачей так и нет точного ответа для нас — зачем всё это? Что они делают с нами? Кто, наконец, нам скажет, что происходит? Какой план лечения? Сколько еще это может длиться? Али, помоги!

«Мы считали, что твоя жена умрет, — оставшись со мной наедине, говорит доктор Султан. — Мы не ожидали, что она выживет, и давали ей не больше нескольких дней. Это чудо, что она выкарабкалась. Сейчас состояние относительно стабильно. Мы продолжим интенсивную терапию, с тем чтобы после приняться уже за лечение рака».

Умрет? Значит, смерть — это не пустые опасения? Значит, она может быть вот так близко? Всего несколько дней назад подошла вплотную, чтобы по неведомой причине отступить? А что теперь? Миновало? Наверное, именно тогда ко мне пришло первое осознание, что непрошеная болезнь грубыми ножницами перерезала долгую шелковую ленту жизни Жанны и всё, что теперь остается, — бороться за оставшийся лоскуток, распустить его и связать в одну, насколько это возможно, длинную нить, пусть не такую широкую и прочную, как прошлая полноценная жизнь, но все-таки жизнь.

Все эти дни мы практически не расставались. Ни до, ни после мы не проводили столько времени вместе, а ее рука не была так надежно спрятана в моей… Это горькое счастье, увы.

Однако мне требуется перезагрузка. Последние недели совершенно измотали меня. Я напряжен настолько, что меня рвет без причины. Обычно Жанна засыпала еще до заката солнца. И тогда у меня были час или два, чтобы поехать на квартиру, принять душ и наконец обнять сына. Единственное, что меня успокаивало, — океан. Я прижимал Платона к груди и шел вдоль воды. Кажется, мы с сыном прошли так десятки километров, молчаливо беседуя и улыбаясь друг другу. На всё про всё у нас было не так много времени. Вскоре Платон отправлялся на руки к бабушке, а я возвращался в больницу с домашними бульоном и котлетами. Снова и снова проделывал этот путь через больничный пустырь в вестибюль, к лифту, потом на этаж в отделение, всякий раз со страхом приближаясь к двери: как она там? Она жива? Ей не больно?

И еще, наверное, один вопрос, который тогда я сам себе не задавал, и Жанна не спрашивала, да и никто не интересовался: почему именно я? Из всего окружения Жанны врачи — так повелось с самого начала — общались только со мной: я единственный говорил по-английски, единственный, кто всегда был рядом, и единственный, кто принимал решения. В истории болезни было написано: в непредвиденном случае звонить Дмитрию. Всё это само собой оказалось моим делом. Другого и быть не могло: я — ее муж, ее мужчина, отец ее ребенка. Не то чтобы за место у больничной койки, на посту у капельницы или в очереди на прием к врачам между родными Жанны шла битва. Признаться, желающих не было. И иногда складывалось ощущение, что никто из них просто не понимает серьезности положения. Я не спорил и ничему не удивлялся — было не до этого.

Отец Жанны приехал спустя месяц, когда мы уже улетали из США в Германию. Мне очень ясно запомнился эпизод прощания. Мы с Жанной в автомобиле скорой помощи. Вот-вот захлопнут двери и нас увезут к медицинскому борту. Наш крохотный сын остается на руках бабушки. Они прилетят гражданским рейсом. Все стараются держаться. Один лишь отец, обливаясь слезами, повторяет: «Дима, Дима, вылечи ее». Но сам никуда не летит. Почему? Не летит.

Если бы это было в моих силах — прогнать смерть насовсем... Пусть схватка была бы тяжелой и шансы не равны. Но я не волшебник. И всё, что нам оставалось, — бороться, не переставать любить друг друга и улыбаться, какими бы тяжелыми ни выдавались дни.

ГЛАВА 12

В конце лета 2013 года я вновь вынужден улететь в Москву. Хорошо помню, какие перемены произошли к моему прошлому возвращению, поэтому сейчас лететь особенно страшно. С фотографической точностью я запомнил тогда все детали нашего госпиталя: 20-й этаж, где нет возможности даже открыть окно, чтобы вдохнуть свежего воздуха, запах мочи и ощущение болезни в коридоре. Страх смерти. Кондиционеры дуют замороженным мертвым дыханием, и от этого делается еще хуже, еще страшнее.

Отделение, где лежит Жанна, — не только для пациентов с опухолью головного мозга. Это, что называется, вообще «про голову». В соседней палате лежал несчастный парень, получивший страшную травму головы на стройке. Кажется, это лишило его рассудка. Всё, что он мог, — кричать от боли, кричать каждый день так, что слышал весь этаж, кричать до тех пор, пока медперсонал не успокоит его обезболивающим.

С нами на этаже молодые и пожилые, люди разных национальностей и происхождения — болезни не щадят никого. Мы все были соседями по несчастью.

Иногда, проходя мимо знакомых палат, я замечал, что там уже никого нет. Только медсестры застилали новые простыни. И оставалось только верить, что этот человек выздоровел или хотя бы больше не мучается.

Состояние Жанны относительно стабилизировалось. Исхудавшая до неузнаваемости, она все же не потеряла присутствия духа. Шутит, смеется и даже просит принести обед из ее любимого ресторана. Почему-то она уверена, что он располагается на первом этаже больницы и поэтому доставить в палату осьминога с пюре и греческий салат — проще простого. Более того, теперь ей даже хватает сил на скромную прогулку в кресле во дворе госпиталя. Кажется, ее состояние под контролем, кризис миновал.

Стук в дверь палаты. Странно, ведь мы никого не ждем. Открываю. На пороге, с сосредоточенным лицом, выражающим смирение и печаль, стоит человек в сутане.

— Добрый день, сын мой.

— Здравствуйте. Хотите войти?

— Благодарю.

Преподобный отец усаживается на край кровати Жанны, расправляет одежды, кладет на колени Библию и без предисловий старательно заводит что-то о Боге, спокойствии и раскаянии. Мы переглядываемся, ничего не понимая. Еще несколько секунд — и начинаем квакать, сдерживая смех. Однако священник настойчив:

— Готова ли ты исповедаться?

— Готова, конечно. А что, какая-то срочность? Я не спешу.

Запнувшись, святой отец заглядывает в шпаргалку.

— Госпожа Смит?

— К счастью, нет.

В спешке собравшись, не сказав ни слова, преподобный выскочил из палаты, а мы прыснули от смеха и чуть не надорвали животы. Будто сама смерть ошиблась дверью и теперь нам ничего не грозит. Пожалуй, это был самый забавный из наших американских больничных вечеров.

Жанне настолько лучше, что врачи позволяют принести в госпиталь на свидание с мамой нашего сына. Я бережно кладу его на больничную кровать Жанны. Он удивленно и немного растерянно рассматривает палату, причудливые провода и датчики, но совершенно спокоен. Нет никаких сомнений, он понимает, чует — рядом мама, а значит, повода для беспокойства нет. Наконец, справившись с первой волной этого чудовищного потрясения, мы снова можем быть все вместе. Жанна нежно прижимает младенца к себе, улыбается, целует и вскоре засыпает.

В больничной палате мы отмечаем 8 июля — день рождения Жанны. «Нет сомнений, — говорю я, — это самый экзотический антураж, в котором тебе когда-либо приходилось праздновать». Я украшаю комнату нашими семейными фотографиями, распечатанными на обычной офисной бумаге. Привожу обед из ее любимого ресторана и, не изменяя ее вкусам и, разумеется, традициям, — шампанское. На этот раз безалкогольное, детское. К тому дню рождения, еще задолго до всех событий, я заказал для Жанны именные часы. Она давно о таких мечтала и была совершенно счастлива, открывая коробку. Но, надев их, мы увидели, что запястье и кисть настолько похудели, что часы просто соскальзывают с руки. Не страшно. Жанна положила их на тумбочку возле кровати и пообещала никогда с ними не расставаться.

Там же, рядом с часами, лежал и ее российский телефон, который начинал звонить все чаще. Слишком надолго исчезла она из поля зрения, слишком давно не выходила на связь. В конце лета Жанну ждут на музыкальном фестивале в Юрмале. Вскоре назначены съемки в кино. Поступают всё новые и новые предложения по работе. Однако звонки остаются без ответа. Жанна просто не в состоянии говорить. Трудно физически. Да и сказать-то нечего. Что она может ответить? Только в первые дни в госпитале нам казалось, что всё скоро образуется. Однако сейчас уже понятно: предстоит долгий путь, лечение не будет быстрым. Видя самые важные из звонков, она просит меня что-то придумать. Растерянно поднимаю трубку, деликатно, безо всяких деталей пытаюсь объяснить, что жене нездоровится, возможно, потребуется чуть больше времени, чем она рассчитывала, чтобы восстановиться после родов. Возможно, она не сможет принять приглашение, приехать, выступить. Волноваться нет причин... и прочее, прочее, прочее.

Мы боимся, что новость о ее болезни просочится за стены больничной палаты, и тогда, нет сомнений, молва и коллеги по цеху молниеносно разнесут ее как чуму. Еще хуже, если выплывет заголовками на обложки газет, в переходы метро, на телеэкраны, и тогда о приватности можно будет забыть. В те дни мы еще хранили робкую надежду на то, что Жанна сможет встать на ноги, прийти в себя, вернуться на сцену, выкарабкаться из цепких лап рака. А когда это произойдет, она сама решит, кому и о чем рассказать. Главное, о чем мы мечтали тогда, — сконцентрироваться на лечении, не желая делиться этим ни с кем. На это просто не было сил. Но то, что знают двое, уже перестает быть секретом. Слухи стали расползаться.

Пришло время и нам подумать над дальнейшим планом лечения. Доктор Султан говорит неопределенно, советует перебраться поближе к дому.

— Вам показан стандартный протокол лечения, который прекрасно известен в мире и отработан: химио- и лучевая терапия. Мы можем провести его и здесь, никаких проблем. Но я рекомендую вам переехать поближе к тем местам, которые любит Жанна. Вам самим будет легче.

Слова доктора я воспринял однозначно: найти клинику с хорошей репутацией как можно ближе к Москве. Что даст мне возможность больше работать, а Жанне — чаще видеть подруг и быть ближе к дому.

— Все же в какой стране, у какого врача вы вообще рекомендовали бы нам лечиться?

Али обещал узнать.

> Покончив с вопросами философскими «за что?» и «почему?», любой пациент или его близкий обычно переходит к вопросам практическим: «где лечиться?», «кто лучший специалист?», «к кому обратиться?», «куда ехать?»
>
> Но иногда растерянность пациента или близких такова, что до практических вопросов и ответов на них дело не доходит: семья погружается на дно отчаяния, теряя драгоценные минуты, часы, дни и, в конце концов, шанс на спасение.

Первым делом — соберитесь. Начинайте собирать необходимую информацию. Начните с вашего терапевта, районного онколога, расспрашивайте друзей, знакомых и незнакомых. Ищите врачей, клиники, изучайте российский и международный опыт. И не отчаивайтесь. Подготовиться к раку почти невозможно. Но и бездействовать губительно.

Случившийся переворот в нашей жизни практически никак не сказался на моем рабочем графике: я летал сниматься, возвращался, опять улетал. Кажется, я забыл, когда в последний раз спал, и, кажется, почти не чувствовал разницы в часовых поясах. Переговорив с доктором, я отправился в очередную командировку, а прощаясь с Жанной, пообещал, что вернусь с готовым решением.

— Я тебя отвоюю.

— А как иначе, — улыбнулась Жанна.

Весь свой полет до Москвы я листал телефонную книжку, пытаясь понять, кому в России могу доверить диагноз Жанны, с кем посоветоваться? В голове всплывали хорошо известные имена. Как их просить о помощи? Уже тогда было понятно, хочешь не хочешь, но мне придется говорить с посторонними на тему «у моей жены рак».

О том, что Жанна больна, знали тогда только наши родители и несколько самых близких ее подруг, с которыми я поделился в призрачной надежде: вдруг у них, в их толстых записных книжках, есть телефон нужного врача или клиники? Но подруги больше сопереживали, ничего конкретного не предпринимали, советов не давали и никаких врачей, увы, не знали. А родители Жанны будто бы и вовсе исключили себя из процесса поиска спасения для дочери. До сего дня я не нахожу этому разумного объяснения. Как это возможно?

Еще в США, не называя имен, пользуясь рекомендациями общих знакомых, я начал обзванивать всевозможных врачей, медицинских посредников, консультироваться, рассылать анализы и медицинские выписки в госпитали Германии, Франции, Швейцарии, Италии, куда мы могли бы обратиться за лечением. Клубок медицинских контактов разрастается довольно быстро — главное, начать.

Отправляя по почте медицинские данные Жанны, я ставил перед собой несколько целей: подтвердить правильность диагноза, чтобы исключить ошибку, удостовериться в том, что лечение, которое предлагают пройти Жанне, действительно адекватно, найти лучшую из возможных клиник в Европе, где это можно сделать. И самое главное — собрать как можно больше мнений практикующих хирургов о том, действительно ли именно в случае моей жены хирургическое вмешательство невозможно.

Большинство клиник отвечали довольно быстро и однообразно: «Согласны с поставленным диагнозом и назначенной программой. К сожалению, проведение операции не представляется возможным. Готовы принять вас на лечение». И как же выбрать?

Я не из тех, кто нуждается в постоянной поддержке, предпочитая разрешать проблемы самостоятельно. Но в те дни я глубоко жалел, что в самой сложной для меня жизненной ситуации посоветоваться мне не с кем.

Вскоре я с удивлением обнаружил, что мой новый круг общения — это медицинские посредники. Их услуги предназначены преимущественно тем, кто не владеет иностранным языком, но способен платить. Иногда их содействие действительно может быть полезным, иногда нет. Но платить придется все равно: за помощь в направлении документов доктору, за консультацию, выбор лечащего врача, поиск переводчика, устройство в клинику в случае положительного ответа. Возможно, мои слова покажутся резкими. Однако бизнес этих людей заключается в том, чтобы зарабатывать деньги на вашей беспомощности. Возможно, они помогут сэкономить вам время. Но точно не средства.

Преимущественно русскоязычные эмигранты, они настойчиво предлагали, чтобы Жанна попала в «хорошие руки», или «самую лучшую клинику, где лечилась Раиса Горбачева», или просто скрывали суть за вереницей титулов врачей и громкими именами. Никакой конкретики. Только чудовищная усталость от общения с ними и все-таки робкая надежда: вот сейчас, наконец, кто-то возьмет на себя ответственность, кто-то взвалит этот груз на свои плечи, потащит вас туда, куда вам на самом деле надо, и решит за вас все проблемы. Так не бывает. В сухом остатке их услуги остались для меня бесполезны.

У меня очередные съемки. Стараюсь вести себя как ни в чем не бывало. Худой, уставший, изможденный перелетами, бесконечными консультациями, нервными бессонными ночами «как она там?». Никто вокруг ничего не знает, я работаю, всё как прежде... Одна беда. Стоит на съемочной площадке зазвучать трогательной песне — и я ничего не могу с собой поделать, на глазах слезы, в горле ком. В паузах между дублями хватаю телефон и продолжаю звонить, звонить, звонить. Я обещал Жанне, что переверну мир, но найду того, кто спасет ее. Уже осознанно говорю в трубку: «Неоперабельная астроцитома третьей степени, химио- и лучевая терапия, интересует второе мнение, госпитализация, лечение, возможна ли операция?» А потом снова иду на съемочную площадку: шутить, развлекать и дурачиться.

Перед выходом на сцену большого концерта меня отводят в сторону и деликатно предупреждают: «Скоро на сцену должна выйти Тина (известная украинская певица Тина Кароль). Наверное, ты знаешь, ее муж в тяжелом состоянии. Рак. Пожалуйста, будь деликатен. Не нужно вопросов и шуток. Просто позволь ей спеть и уйти». Конечно, понимаю. Теперь я понимаю ее как никто. После того выступления уже за кулисами ей сообщат, что мужа не стало. Мы встретимся снова через несколько месяцев, когда Тина впервые после трагедии наберется мужества, чтобы вновь выйти на сцену. Я буду с восторгом смотреть на эту удивительно сильную девушку, с ужасом осознавая — смерть не так далеко, как может показаться.

Но я по-прежнему убежден: мы можем одолеть болезнь. Более того, сделать это своими силами, без посторонней помощи. Нам хватит и терпения, и денег. Все медицинские услуги до этой минуты мы оплачивали самостоятельно: Жанна и я. Скорая помощь, госпитализация, лекарства. Думаю, сможем делать это и дальше. Я уже представляю, сколько может стоить назначенное плановое лечение. Но даже не догадываюсь, во сколько может обойтись высокотехнологичное, новое, экспериментальное, способное существенно продлить жизнь. О его существовании я тогда даже не знаю. И по-прежнему не спешу делиться ни с кем нашей бедой. Оглядываясь назад, я думаю, что сейчас, наверное, поступил бы иначе, уже не опасаясь огласки. Ведь бороться сообща всегда проще, чем одному. И потому всем тем, кто сегодня сталкивается с раком, говорю: не молчите. Не замыкайтесь. Не бойтесь говорить. Оставаться один на один с болезнью нельзя. Всегда есть кто-то, кто прошел этот путь до вас и поможет вам избежать ошибок. В конце концов, поможет сберечь главное — время.

Вот рекомендации, что предпринять сразу после того, как вы узнали точный диагноз.

1. Первым делом — тщательно изучите вопрос. Энциклопедии, справочники, научные статьи. Если вы читаете по-английски, вам может быть полезен ресурс cancer.net.

2. Проведите дополнительные консультации:

a. Найдите группу, сообщество пациентов/их родственников с таким же диагнозом, как у вас, выясните, какие специалисты считаются лучшими в этой области, и постарайтесь попасть к ним на прием.

b. Не стесняйтесь рассылать выписку пациента (выпиской называется заключение врача, поставившего диагноз; как правило, к ней прилагаются снимки, анализы, результаты обследований и т.д.) во все клиники, которые найдете. Собирайте ответы, сравнивайте их.

c. Если вы отыскали оптимальное, на ваш взгляд, лечение, не стесняйтесь обсудить его с доктором, которому доверяете. Это называется второе мнение.

3. Ищите возможность получить квоту в России.

4. Ищите средства на лечение.

a. Как только установлен точный диагноз, найдите, какой российский благотворительный фонд занимается помощью пациентам с этим видом заболевания.

b. Если ваш пациент — ребенок, найти фонд будет легче, если взрослый — сложнее. Даже если фонд не сможет помочь материально, там всегда посоветуют, «куда бежать».

c. Если фонд возьмется за сбор денег на ваше лечение, подготовьте все документы, выписки и результаты исследований. Фонд будет аккумулировать средства, поможет оплатить лечение и/или покупку дорогостоящих лекарств, а также будет предоставлять жертвователям отчетность о тратах.

d. Рак — это дорого. И, начав с ним бороться, сложно себе представить масштаб того, во что эта борьба может вылиться. Даже если операция и химиотерапия будут бесплатны, за анализы, таблетки от тошноты, прочие препараты придется платить. Зачастую справиться в одиночку невозможно. И это означает, что помощь может понадобиться. Не стесняйтесь просить о ней.

e. Если в России не могут помочь (редкая форма, сложный диагноз), ищите помощь за рубежом.

И еще: понадобится терпение, терпение, терпение. И силы.

Спустя несколько недель, собрав многочисленные мнения, отзывы и рекомендации, останавливаюсь перед выбором: Израиль или Германия. Одно из имен, которое встречалось мне чаще остальных, — профессор Манфред Вестфаль из Университетской клиники Эппендорф-Гамбург. Его же горячо рекомендует наш американский доктор Султан. Обменявшись письмами с профессором, заручившись его поддержкой, согласием госпиталя и получив счет в 70 000 евро за отдельную палату и проведение назначенного лечения, я возвращаюсь в Майами. Жанна не возражает. Она страшно устала от американской больницы и хочет поскорее лететь. Родители тоже не против.

Жанне запрещают лететь рейсовым самолетом, требуется медицинский борт. И вновь я должен благодарить за участие в нашей судьбе доктора Али, который сверх своих служебных обязанностей, изнурительного рабочего графика помогал нам с поисками необходимого самолета.

Лететь без сопровождения мне очень страшно. Нам нужен врач на борту и после перелета, чтобы передать Жанну в руки профессору Вестфалю. Неожиданно помочь нам вызвался ассистент доктора по имени Тимур. Молодой врач, мой ровесник. Оказалось, у него, как и у нас, несколько месяцев назад родился ребенок. Поразительно и бесконечно приятно, что этот молодой человек не только нашел время лететь, но, главное, нашел в себе душевные силы понять и прочувствовать сложность нашего положения. Оказалось, что отпроситься с работы в Америке не так-то просто. Тимур полетел с нами, отказавшись от какого-либо вознаграждения. Однако мне пришлось оплатить госпиталю его трехдневный отпуск. Не устаю повторять: коварство и тяжесть рака для нас были компенсированы количеством добрых, бескорыстных и бесконечно отзывчивых людей, которые встретились нам на пути. Доктор Султан и Тимур были первыми, но далеко не последними. Спасибо!

Машина скорой помощи остановилась в аэропорту частной авиации Майами. Вероятно, прощаясь с любимым городом, Жанна захотела это отметить. «Принесите нам, пожалуйста, мороженое», — попросила она. Так, разместившись на узкой кушетке-носилках, мы прощались с городом нашей любви. Вскоре в распахнутую дверцу постучала сотрудник аэропорта и попросила меня выйти на пару слов. «Вы уверены, что она долетит?» — громко и бесцеремонно спросила она по-английски. «Будьте уверены, выживу», — ничуть не смутившись, со смехом ответила за меня Жанна.

ГЛАВА 13

Мы летим в Германию.

Не успели мы приземлиться, как уже оказываемся внутри кем-то сконструированной для нас матрицы: на взлетном поле уже ждет карета скорой помощи, у сопровождающего доктора в руках листок с распорядком на ближайшие несколько дней. Автомобиль мчит нас в госпиталь, включая на перекрестках сирену. Жанна в дреме, а я еду, уперевшись взглядом в окно.

У меня не идут из головы слова доктора Султана: «Дима, я советую вам переехать на лечение поближе к дому». Что он действительно хотел этим сказать? Что дома и стены помогают, что болеть в привычной обстановке не только комфортнее, но и шансов выздороветь больше? Или положение настолько безвыходное, что близость к дому — скорее разумная необходимость?

В окне мелькают отличные от знойного Майами пейзажи: зеленые парки, березки, липы. Едва подернутая позднелетней усталостью трава клонится к земле от ветра. Открываю окно и глубоко вдыхаю: воздух здесь совсем другой. Какой-то родной, что ли, понятный. «Слушай, мы почти дома!» — с неожиданной детской радостью кричу я Жанне. Она улыбается, не открывая глаз. Сажусь на место, переполняемый странным чувством внутренней уверенности: здесь-то у нас всё будет хорошо; по крайней мере — без ухудшений.

Жанне нравится наша новая палата с видом на величественный старый парк. Не успеваем опомниться, как входит одна медсестра, вторая, третья. У всех сосредоточенные доброжелательные лица и вопросы вроде: «Что вы желаете на обед: суп с фрикадельками или суп-пюре?» В общем, почти как в хорошей гостинице. И главное — никакого больничного запаха. Настроение у нас приподнятое. Кажется, мы вытянули счастливый лотерейный билет...

...Я часто думаю о том, сколько людей, возможно, шло бы на поправку успешнее, если бы условия, в которых они болеют, были комфортными. Сколько сил, эмоций и всего того, что мы называем «жизнью», тратит онкологический пациент и его родственники не на борьбу с раком, но на борьбу с враждебной по отношению к больному окружающей средой: унылые стены медучреждений, нелюбезный, а порой даже агрессивный медперсонал, хамство и поборы. И когда говорят о том, что люди в России больше других боятся рака, я понимаю, что они боятся не только рака, но еще и унижения, которое может испытать заболевший. К счастью, ситуация в отечественной онкологии меняется — чудовищно медленно, со скрипом, но меняется. Врачи учатся разговаривать с пациентами. Выезжают на обучение за границу, а также участвуют в международных конференциях. Многие актуальные международные протоколы лечения приняты и освоены в России, и это означает, что дома можно получить терапию такого же класса, как и за рубежом. Однако, вероятно, пройдут десятилетия, прежде чем с лица нашей страны исчезнут чудовищные, наводящие ужас здания онкодиспансеров. И дело не только во внешнем виде и интерьерах. Нехватка врачей, особенно в регионах, недостаток средств, отсутствие масштабных обследований населения или выборочно групп риска — серьезнейшие проблемы. Ну а докторам и среднему медицинскому персоналу в России еще предстоит понять и принять право пациента на достойную жизнь. И гарантировать ему соблюдение этого права. Конечно, звучит идеально и красиво, оттого кажется недосягаемым в наших реалиях. Ведь изменений требует не только отечественная медицинская ментальность. Требуются изменения на уровне системы в вопросах законов, квот, обезболивания, даже банального ремонта. Это отдельная большая и больная тема не для этой книги. В надежде на лучшее. Большие перемены не происходят быстро.

...Вернемся в Германию. Жанна обживает наш новый дом — палату 316 онкологической клиники UKE в Гамбурге. А я в сопровождении Тимура уже спешу на аудиенцию к профессору Вестфалю. Он будет нас вести. В голове у меня море планов. А в сердце — тщательно скрываемая, но постукивающая тоненьким молоточком надежда: всё будет хорошо.

Заходим в кабинет. Крепким рукопожатием нас встречает мужчина средних лет, скромно одетый в рубашку и джинсы. Кабинет аккуратно заставлен медицинской литературой. На столе модель черепа. На экране компьютера МРТ-снимки моей жены. «Манфред Вестфаль», — приветствует нас профессор.

Садится. Отворачивается к окну. Возвращается ко мне и смотрит прямо в глаза: жесткий, цепкий, глубоко проникающий взгляд. Четко отделяя каждое слово, произносит: «Дмитрий, не стройте иллюзий. Ваша жена умрет».

Не помню, сказал ли я что-то в ответ. Помню, как Тимур пытался возразить профессору, говорил о медианах выживаемости, о науке, которая движется вперед, о надежде… Но в какой-то момент выдающийся нейрохирург профессор Вестфаль привстал с кресла, и стало понятно: нам пора уходить. Я вышел на ватных ногах. А Тимур все говорил, говорил: «Ты пойми, это его обязанность, он должен говорить, что всё плохо. Ведь если он скажет, что всё хорошо, а что-то пойдет не так, его накажут, такая тут медицина. Это ничего не значит. Формальная встреча». Тимур говорил, а я шел и думал, как сейчас войду в палату к моей Жанне и как сделать так, чтобы на моем лице не осталось никакого следа от разговора с профессором?

Меня выручил высокий человек в белом халате, вошедший в палату следом за нами. Наш лечащий врач, моложавый мужчина лет пятидесяти, профессор Карстен Бокемейер, или, как потом мы в шутку называли его между собой за подкрашенные седые волосы, «перец с солью». Чувство юмора не изменило Жанне.

Бокемейер: «Добрый день. Я глава отделения головных опухолей».

Жанна: «Добрый день. Нет, это я — голова отделения опухолей…»

Профессор ежедневно навещал нас, мягко жал руку, улыбался, справлялся о ходе лечения, шутил… Но немецкая медицина — это немецкая медицина.

Здесь не питают иллюзий и не строят воздушных замков. Здесь всё предельно просто и практично.

С точки зрения немецких врачей (человеку неподготовленному нужно время, чтобы к ней привыкнуть), болезни, в том числе и онкологические, делятся на излечимые и все остальные — при которых возможно только продлить жизнь и по возможности сохранить ее качество. «Борьба против рака», «вызов болезни», «сражение» — это слова не из лексикона немецких докторов. Безусловно, нас лечили, нас поддерживали, нам сочувствовали. Но ни о какой надежде речи не шло. Просто курс облучения и шесть курсов стандартной химиотерапии препаратом «Темодал», во время которых я все время как будто бы слышал сухие и отрывистые слова профессора Манфреда Вестфаля: «Не стройте иллюзий. Ваша жена умрет».

Кажется, именно в Гамбурге мне впервые приснился сон о моей жизни без Жанны. Но когда шок прошел, я подумал, что так не должно, так просто не может быть, чтобы, кроме бездушных цифр статистики и слов профессора, на свете больше не существовало ничего, что могло бы помочь. Я люблю Жанну. Жанна любит меня. У нас есть сын. Мы должны жить. Черт возьми, это больше статистики и важнее казенной фразы «Не стройте иллюзий». Мы должны жить. И мы будем. Главное — верить и не опускать руки.

«Собирайся, любимая. Вечером мы идем в ресторан», — сказал я, раздвигая занавески палаты с видом на старый парк. Так начался наш «медовый месяц» в Гамбурге, который, несмотря ни на что, я вспоминаю с улыбкой.

ГЛАВА 14

Сейчас я жалею, что, окунувшись в болезнь, мы не сразу поняли невероятную важность простого тихого общения, небольших радостей, мимолетных прикосновений. Человеку, никогда не сталкивавшемуся с тяжелым заболеванием, очень трудно, почти невозможно понять или принять на веру этот важнейший постулат всех прошедших через испытание болезнью семей: духовное не менее важно, чем медицинское.

Любовь — лечит. Тепло — придает силы.

И теперь могу с уверенностью сказать: повседневная жизнь — пожалуй, одна из важнейших составляющих лечения. Да, разумеется, надо бороться с болезнью и постараться победить ее. Но рак — не ангина. Никаких стопроцентных гарантий. И один из самых важных этапов в жизни с онкологией — принятие диагноза. Пожалуйста, помните об этом. И, тратя неимоверное количество сил на то, чтобы вытащить дорогого человека из лап болезни, оставляйте кусочек себя еще и на то, чтобы просто поддерживать тепло ваших отношений, не превращать жизнь в подвиг или страдание, а просто жить. Так и столько, сколько получится.

Ты прижимаешь к себе самого дорогого и любимого человека и молишься: «Господи, сколько бы ни осталось, дай нам прожить эти годы, месяцы, дни и часы в любви и взаимопонимании, дай нам уберечь друг друга от ссор, слез, гнева и беспомощности...» И бормочешь эту молитву, стараешься следовать ей. Интуитивно — поскольку никто ничего подобного тебе до сих пор не объяснял. И оказывается, что милые и запоминающиеся мелочи — брызги в лицо за утренним туалетом в ванной, улыбка на сонном лице, объятия на рассвете, запах любимой кожи, нежный поцелуй, пицца для двоих и черно-белое кино — вот главное. Это запомнится. Именно с этим ты потом будешь жить.

Тогда, в Гамбурге, я интуитивно понимал — надо жить. Как только возможно. Надо. Вместе с Жанной мы, как это случалось с нами и прежде, одновременно почувствовали перемену своего отношения к болезни. Мы осознали диагноз: рак. И негласно решили с ним жить. Как получится долго. Главное — счастливо.

Этот наполненный теплыми эмоциями «немецкий» период я часто вспоминаю, когда чувствую, что не на что опереться: почва уходит из-под ног.

Утро. Осенний рассвет. Мы просыпаемся вместе. Наконец-то мы можем сдвинуть вместе две больничные кровати и спать рядом. Мы просыпаемся не потому, что в госпитале обход, а потому, что в палату несут завтрак: круассаны и кофе.

Совсем скоро, сразу после обхода, нам принесут Платона, он живет в отеле неподалеку от больницы с бабушкой, а я ночую с Жанной. Помогаю ей усесться на кровати. Усаживаю рядом сына. Сама Жанна слишком слаба, чтобы держать сына на руках. Но Платон не грустит. Он, обливаясь слюнками, ползает по маме, безошибочно реагируя на запах самого дорогого в жизни человека. И Жанна счастливо улыбается.

Надо отметить, в клинике, где мы лечились, нет привычной россиянам больничной фобии перед грязью, инфекциями, особенными детскими болезнями, что делает невозможным посещение маленькими детьми своих больных родителей. В Гамбурге Платон мог находиться с мамой столько, сколько у нее было сил. Увы, сил у моей любимой немного: хватает минут на двадцать. Ходить Жанна не может, только сидеть. А это значит, после встречи с Платоном, короткий сон-передышка, физиотерапевт, передышка, процедуры, обед, снова сон, а после — инвалидная коляска и прогулка в соседнем парке, а потом — в кафе за стаканом ее любимого кофе латте и назад, в палату. Передышка.

Немецкий больничный день расписан процедурами, как информационное табло на центральном вокзале: то одно, то другое. Ни времени оглянуться, ни испугаться. Но иногда и в этой слаженной, бесперебойной системе наступали «минуты тишины». Я задерживал взгляд на своей любимой, по-прежнему самой красивой и самой желанной для меня женщине и понимал, как она изменилась.

С началом лечения волос на подушке становилось все больше. И Жанна, долго не раздумывая, решилась на перемены. Я выпросил в парикмахерской в здании госпиталя машинку, ножницы и сам сделал ей стрижку. Мы разыграли из этого целый спектакль. Я изображал манерного стилиста, а Жанна — капризную модель: ржали как ненормальные, и получилось совсем неплохо. «У тебя есть шанс стать моим личным мастером, — пошутила Жанна. — Если, конечно, когда-нибудь у меня опять вырастут волосы». Кстати, волосы у нее так и не выпали до конца. С этой почти военной стрижкой, по определению Жанны, «как у солдата Джейн», она так и прошла все химии.

Отмечу отдельно, что болезнь не смогла изменить главного в Жанне — ее внутренний свет и притягательность для других людей. Не предпринимая ничего особенного, она все равно оказывалась в центре внимания. Это были не зрители в зале, а медицинский персонал, врачи и медсестры. Даже обычные служащие, помогавшие толкать кровать пациентки на процедуры, относились к ней с особенным теплом и заботой. Болезнь не смогла лишить Жанну ее обаяния.

Тем не менее общее состояние Жанны ухудшалось. И вместе с этим сужался круг доступных ей развлечений, приходилось выдумывать всё новые и новые. Резко упало зрение — значит, на смену фильмам — аудиокниги. Теряется концентрация — прощайте аудиокниги, здравствуйте прогулки на воздухе, пусть и в коляске. Быстро наваливается усталость... В конце концов из доступных осталось только одно, самое простое и искренне любимое — еда!

Я нашел поблизости уютный и удивительно вкусный итальянский ресторан с незамысловатым названием Mario. Хозяин нас быстро запомнил, и мы частенько заглядывали к нему на ужин: Жанна в коляске, укрытая пледом, я позади, а из соседней гостиницы, разумеется, Платон. И каждый подобный вечер с пиццей или пастой был как будто наш Новый год. Мы болтали, смеялись и уплетали за обе щеки.

И… были счастливы! До сих пор не могу понять, почему врачи не говорят об этом своим пациентам? Наполняйте каждую минуту существования любовью и теплом, словно она последняя. Наш Гамбург — это память на всю жизнь.

Постепенно судорога, сковавшая мою волю после известия о болезни Жанны, ослабевала. Я уже мог говорить о ее состоянии не только с ней самой, врачами и родителями. Мало-помалу в курс дела входили и ближайшие ее подруги. Смелые, честные и верные. Признаюсь, их отношение меня потрясло! В них не было ни капли женской ревности, соперничества. Жаннино отношение к ним было чистым и искренним. И, как я увижу, это было взаимно.

Первой, кто оставил все дела и не раздумывая прилетел к ней в Германию, чтобы не просто навестить, но быть рядом и остаться до последнего дня, стала Ксения.

Она ухаживала за Жанной, словно не замечая никакой разницы между Жанной до болезни и той Жанной, какой ее сделал рак. Каждое движение, каждое слово Ксении было пропитано нежностью и любовью. Без слез, обмороков и причитаний. Для меня это было наилучшим проявлением того, как можно ухаживать за тяжелобольным человеком, не душа его заботой. Ведь пациент, я знаю наверняка, чрезвычайно чувствителен к снисхождению, любого рода демонстрации его неполноценности, даже к проявлению жалости. Ксении с видимой легкостью удавалось обходить острые углы. Она и ее присутствие озаряло Жаннины дни в гамбургской клинике ровным и теплым светом верной дружбы и любви.

Еще, втайне от врачей и часто от меня, Ксюша баловала Жанну конфетами — тогда мы еще ничего не знали о противораковой диете. Жанна просто обожала кофейные батончики, знакомые нам всем еще с детства. И в маленьком прикроватном шкафу всегда хранился основательный запас. Врачи сердились. А вместе с ними и я. С другой стороны, ну что такого? Если каждая конфета была для нее улыбкой, то, черт с ними, пусть будут и конфеты.

...Поскольку эта книга — не просто сентиментальное путешествие в трудное, болезненное прошлое, а попытка быть полезным тем, кто оказался на этом трудном пути, не могу не рассказать еще об одном нашем гамбургском эпизоде. Навестить Жанну приехала другая ее близкая подруга Маша. Милая девушка, дружившая с Жанной, кажется, со студенчества. Разумеется она знала, что у Жанны рак. Рак мозга. И понимала, что едет навестить подругу в разгар лечения.

Что знает среднестатистический россиянин о том, как выглядит человек, проходящий лечение от рака? Где мы видим людей, которые лечатся? Многие сидят по домам или больничным палатам. Одинокие, неприкаянные, часто стесняющиеся самих себя. Рак и лечение от него — это тяжелое испытание для организма. Нет никого на свете, кого бы это лечение украшало. Химиотерапия крадет волосы, кожу, зубы. Гормоны уродуют тело. Обожженная слизистая не дает возможности нормально говорить. Обилие токсичных лекарственных препаратов (а основное действие химиотерапии в том и заключается, что, будучи страшно токсичной, она убивает раковые клетки. Хорошие, впрочем, тоже убивает, заодно) делает дурноту и тошноту постоянными спутниками пациента. Готов, открыт ли к общению такой человек? Нет. Прежний ли он? Нет. Должно ли общение с таким пациентом быть скорректированным? Да, конечно да!

Пожалуй, нельзя делать вид, что вы не замечаете перемен. Пожалуй, нельзя делать вид, что ничего не случилось, и щебетать о покупках и платьях с тем, кто только и делает, что думает о раке и борется с ним. Разумеется, до повседневных тем дело еще дойдет. Но, прошу, уважайте пациента, которого навещаете или которому звоните. Спросите его о том, как он себя чувствует, как идет лечение, что происходит сейчас, что ожидается в ближайшее время. Не захочет говорить — его право. Но дайте ему шанс. И будьте готовы к тому, что люди, которые лечатся от рака, выглядят совсем не так, как мы привыкли. Они часто меняются до неузнаваемости. Но это все еще они: те, кого вы любите, и те, кому вы нужны. Возьмите их за руку. Посмотрите в глаза. Будьте рядом. Поверьте, вы очень нужны. Напитывайте общение положительными эмоциями. И прошу, не проявляйте жалости, она ослабляет. Не показывайте своего страха — пациенты и так с ним живут. Всё, что вы можете, — дать любовь, нежность, внимание, высказать слова поддержки. Предложить помощь, если готовы ее оказать. Молитвы. Приветы и послания от знакомых. Добрые воспоминания. Планы. Картинки будущего.

Приехав в Гамбург, Маша увидела до неузнаваемости изменившуюся подругу. К счастью, она была готова к этой встрече и только после свидания, уже выйдя из палаты, позволила себе разрыдаться от бессилия и отчаяния. Она не уехала, сумела взять себя в руки, осталась, чтобы и дальше поддерживать Жанну. Что сказать — ей действительно очень повезло с подругами.

Ободряемая поддержкой, впервые с начала болезни Жанна начала заниматься с физиотерапевтом. Первое, чему она научится, — вставать с кровати. После — ходить: сначала несколько шагов по палате. Затем коридор. А после даже улица. Мы отметим эту победу бокалом красного вина на двоих. Много позже, уже прогуливаясь по огромной территории госпиталя, мы любовались на старые корпуса XVIII—XIX веков (да, оказывается, больницы могут быть красивыми), обсуждали наш будущий дом, мечтали о том, каким он будет: дверь, окна, скаты крыши. Нам обоим отчаянно хотелось уюта, домашнего тепла и уединения.

Но даже в самые благополучные и, насколько было возможно, счастливые дни меня не оставлял страх будущего. Панический страх перед неопределенностью.

Как-то меня отвела в сторону одна из сотрудниц госпиталя:

— Я бы хотела поделиться с вами историей, которая произошла в моей семье, — начала она. — Одному из моих родственников поставили точно такой же диагноз, как и вашей жене. И сейчас, наблюдая за ней, я вижу то же, что видела тогда, несколько лет назад. Нам было показано то же лечение, что и Жанне. Оно не принесло результатов. Мы испробовали всё, включая нетрадиционные методы. Не поверите, мы пробовали даже змеиный яд.

— Зачем вы рассказываете мне об этом?

— Не питайте иллюзий. Дмитрий, у вас есть года два. Маловероятно, что больше.

Не хочу это слышать. Не могу. Как я могу смириться? Как можно жить и ждать смерти?

Я сопротивлялся страху. Мечтая о будущем, я часто представлял, как спустя время, когда минуют потрясения, Жанна вновь выйдет на сцену. Она всегда мечтала о большом сольном концерте. Это ли не лучший повод? «Я буду как птица феникс, — часто повторяла Жанна, — сгорю и возрожусь из пепла». Полный зал. Все хотят видеть свою героиню, мужественную и смелую, не покорившуюся обстоятельствам. Хотят поздравить, порадоваться вместе с ней ее победе. Вот она делает первый шаг из-за кулис. Вновь уверенный и твердый. Нет, она не та, что прежде. Ее движения стали осторожнее, она стала осмотрительна, куда-то исчез задор, только ее ослепительная улыбка осталась неизменной. Выходит. С легкостью идет к авансцене, преодолевая эти несколько шагов, которые с таким трудом даются ей сейчас в больничном коридоре. Я смотрю на нее из зала, с замиранием сердца наблюдая за каждым ее движением. Какими осмысленными, отвоеванными у болезни и от этого более ценными стали они сейчас. А голос? Он совсем не изменился. Публика, замерев, потеряв дар речи, с восхищением смотрит на нее. И тишина взрывается аплодисментами. Она победила! Сгорела и возродилась. Моя Жанна. Именно так я часто представляю ее возвращение. Она будет жить! Она справится!

У Жанны был близкий приятель К. Более десяти лет назад у него обнаружили опухоль головного мозга. В минуты отчаяния и душевных сомнений Жанна часто вспоминала о друге, который, несмотря на неутешительный диагноз, годами боролся с болезнью, проходя все возможные процедуры, испытывая на себе новые методики, ложась на операции и бесконечные химиотерапии, с тем чтобы продолжать вести привычный, активный и в первую очередь достойный образ жизни. Он сражался больше двенадцати лет, тогда как врачи не давали ему и половины этого срока. Это вселяло в нас уверенность.

Скоро лечение в Германии подойдет к концу. Но только после окончания нескольких курсов химиотерапии и облучения мы узнаем промежуточные результаты. Действует ли оно? Что с опухолью? Как реагирует?

Мы понимали: похоже, жизнь уже никогда не будет прежней. Но тогда нам еще казалось, что главные перемены, которые нас ждут, — это просто таблетки, которые Жанне придется пить до конца жизни. Не более. С этим можно смириться. И всё это несмотря на заверение профессора Вестфаля, несмотря на неутешительный диагноз, несмотря на упрямую статистику, которая совсем не в нашу пользу. Мы уже понимаем, рак — это на всю жизнь, но верим в главное — что жизнь в принципе будет.

А тем временем на больничный парк багрянцем медленно падающих кленовых листьев ляжет октябрь. Совсем не заметив, как это у нас вышло, мы прожили с раком уже полгода. И, кажется, немного к нему привыкли.

ГЛАВА 15

Мы беззащитны. И от этого мне страшно. Я не хочу, чтобы сейчас, когда Жанна так слаба и так беспомощна, ее караулили фотографы, чтобы кто-то, увидев эти снимки, в ужасе закрыл рот ладонью, не хочу, чтобы посторонние решали за нее, в каком виде она вернется на обозрение публики. Среди российских артистов существует устойчивое мнение: страна любит, невзирая на любые слова и поступки, но отвернется, когда узнает, что ты заболел. Больных не любят. Больных жалеют. Больных не хотят.

Как сделать так, чтобы никто из «журналистов» или светских болтунов ничего не пронюхал? Как понадежнее защитить Жанну от праздного любопытства?

Господи, сколько сил тогда ушло у всех нас на эту шпиономанию. Много позже мне станет известно, что к тому моменту фотографы «Лайф» уже сделали снимки Жанны в Германии. Но, нужно отдать им должное, до поры пощадили нас и не опубликовали.

Мы боимся выглядеть слабыми. Нас так выучили, воспитали, что просить о помощи — это значит терпеть поражение. Сильные и красивые, по правилам нашего общества, не имеют права на болезнь или слабость.

К счастью, в тот момент Жанна уже может отвечать на мои телефонные звонки. И в дни расставаний мы находимся на постоянной связи. Налаживается, наконец, эта важная тонкая нить наших шутливо-нежных перезвонов: достаточно просто вновь услышать ее голос — и внутри становится очень тепло и спокойно. Она — в Германии. Я — в Москве, в павильоне Останкино.

Время от времени я продолжаю получать телефонные звонки с вопросами о состоянии Жанны: «Как она себя чувствует?», «Как ее здоровье?», «Когда можно ей позвонить?». Одна из подруг, не сдержавшись, расплакалась у всех на глазах, когда на каком-то светском вечере речь зашла о Жанне. Понимаю, что слух о болезни, как бы мы ни противились, пополз, и удавка публичного интереса все сильнее сдавливает нам горло. Долго скрывать истинное положение дел вряд ли удастся. А пока сбрасываю звонки или пытаюсь ответить что-то нейтральное. Кулаки сами собой сжимаются. Почему я злюсь? Ведь люди просто интересуются. Они ничего не знают, и они точно ни в чем не виноваты... Но я все равно виню их в том, что, сами того не подозревая, они так безжалостно тревожат эту рану.

Я был не прав. Но на тот момент в России не было ни одного известного стране или хотя бы нам с Жанной опыта болезни публичного человека, на который мы могли бы опереться. Мы не были готовы болеть «на людях». И представить себе не могли, что кроме праздного любопытства открытость несет в себе еще нечто необыкновенно важное: тепло и поддержку, которые станут огромным подспорьем в нашей дальнейшей борьбе. Мы закрывались, уходили в себя и сердились на тех, кто вольно или невольно пытался выковырять нас из этой раковины, — типичная ошибка всех онкологических больных и их родственников.

В один из съемочных дней ко мне подходит Иосиф Давыдович Кобзон. Ни я, ни моя жена прежде не были близки с ним. Кобзон сперва ничего не говорит, а просто пристально смотрит мне в глаза.

— Это правда? — спрашивает он.

— Ну что вы. Конечно, нет. Болтовня. Всё в порядке, — даже не удосужившись уточнить, о чем идет речь, начинаю лепетать я, будто отвечаю на вопрос, к которому заранее готовился.

— Знайте, у меня очень большой опыт в онкологии, — по-прежнему не отводя глаз, произносит Иосиф Давыдович. — Если вам понадобится моя помощь, я рядом. — Обходит меня и удаляется ровным твердым шагом.

Я столбенею. «Кого ты обманываешь? Тебе предлагают помощь. Так зачем ты врешь?» — говорю я себе.

Догоняю:

— Иосиф Давыдович, это правда. Что нам делать?

Кобзон откликнулся незамедлительно. Этот титан, человек стальной воли и живой души, подставил плечо и одарил нас такой теплотой дружбы, такой готовностью прийти на помощь, о которых пишут в благородных романах, но в которые никогда не веришь до тех пор, пока не узнаешь. И за всё, что он для нас сделал, не рассчитывая на благодарность, отмахиваясь от бесконечных «спасибо», не ожидая просьб и не заставляя выглядеть жалко, я бесконечно Иосифу Давыдовичу признателен. Уже теперь, погрузившись в тему под названием «рак», я знаю, скольким людям вот так беззаветно, самоотверженно и всерьез Иосиф Давыдович приходит на помощь. И скольким помогает! Но тогда, осенью 2013-го, всё это меня не столько расторгало, сколько напугало. Помню, как наивно спросил у Жанны по телефону:

— Как думаешь, Кобзон нас не выдаст?

— Ты дурак? — ответила Жанна. — Ведь это Кобзон. Никогда.

Иосиф Давыдович не разделяет моего стремления лечить Жанну за границей. «Меня лечили здесь. Здесь лучшие врачи. И у меня есть ресурс», — говорит он мне. И этот ресурс немедленно включается. В тот же день у меня в руках телефонные номера светил нейрохирургии и нейроонкологии: академика Александра Николаевича Коновалова из НИИ нейрохирургии имени Бурденко и академика Михаила Романовича Личиницера из Российского онкологического научного центра имени Блохина.

В те дни, наполненные тяжелыми раздумьями, понимаю, что больше не могу выносить всё происходящее в одиночку. Мне нужна поддержка, нужен советчик или хотя бы кто-то небезразличный, с кем я могу просто поговорить. Рассказать о своих страхах, о трудностях лечения, о том, как мучительно видеть и знать подробности того, что переживает человек, который проходит лечение от рака, как химиотерапия, убивая опухоль, попутно разрушает организм, какие приступы боли и рвоты сопровождают химию, как сохнет кожа, как мучительно хочется пить и невозможно сделать ни глотка, как голод пожирает изнутри, но нет сил что-то съесть, как мучают то понос, то запоры, какой страшнейший морок и испытание эта химия, как изводит, мучает и видоизменяет она любимого человека. И какая мука на это смотреть.

Слаб и беззащитен не только онкологический больной, но и тот, кто находится рядом, кто должен быть поддержкой и не может признаться, что нет сил. Думаю, именно в эти моменты охватывает настоящее отчаяние.

Постсоветский менталитет не позволяет хватать доктора за полу халата в поисках поддержки. Да и доктора, даже самые отзывчивые, — они ведь чаще всего не про это. А еще неизвестно откуда взявшаяся уверенность, что никто из прежних друзей не захочет делить с тобой это горе, отрезает любые возможности нормального живого человеческого общения.

Никогда еще я не был так одинок, как в месяцы болезни Жанны.

Единственная, с кем я говорю о болезни в ежедневном режиме, — ее мать. Однако ее интерес по-прежнему ограничен названиями таблеток и лекарств. И мне кажется, что спустя полгода болезни она по-прежнему не отдает себе отчет в серьезности происходящего. Кажется, даже не может точно повторить диагноз. И при этом я чувствую с ее стороны давление, невидимый укор — почему ее дочери по-прежнему плохо? Неожиданно, будто очнувшись от спячки, она требует сказать ей «правду», утверждает, что от нее что-то скрывают. Тогда я почувствовал себя будто на месте врача, который должен сообщить родственнику о тяжелом диагнозе члена его семьи. Родственнику, который не хочет ничего слышать и ждет, что все проблемы разрешатся сами собой. «Жанна тяжело больна, — старательно подбирая слова, начну я. — Диагноз не оставляет надежд на полное выздоровление. Но это вовсе не значит, что схватка проиграна. Мы вынуждены ждать, как опухоль отреагирует на лечение. Но все же, что бы ни показали анализы, испробованы еще не все средства, и это значит, что мы все еще можем действовать. Может ли Жанна умереть? Да. Может ли она выжить? Никто не знает...» Я повторил всё то, что говорили нам врачи: одни поддерживая, другие не желая обнадеживать. Что еще я мог добавить? «Я не оставлю вашу дочь и сделаю всё, что в моих силах». Но меня не услышали. В лице матери Жанны мне не удалось найти ни союзника, ни поддержки. Я ощущал, что в происходящем винят меня и, не прилагая усилий, ждут, что всё это я должен исправить. Почему? Увы, не знаю.

Это означало лишь одно — по-прежнему любое решение, от которого зависит будущее моей жены, может быть принято только мной. Потому что больше некому.

ГЛАВА 16

В Университетской клинике Эппендорф-Гамбург только что закончились предписанные медиками первые курсы химио- и лучевой терапии. С гордостью могу сказать, что эти безжалостные методы не слишком навредили моей жене: волосы на месте, тошноты практически нет. К сожалению, нет и ощутимых результатов. Жанна стабильна и полна желания жить, но при этом очень слаба. Теперь она может подолгу болтать со мной. Может добраться в коляске не только до ближнего, но даже до дальнего кафе. Но это всё. Других изменений нет. Опухоль не растет, но и не исчезает. Нам пора принимать решение о том, что делать дальше. Что еще предпринять?

Проститься с нами пришел и профессор Вестфаль, тот самый врач, встретивший меня безапелляционным заявлением в день нашего прилета. Так же пристально, как и тогда, он посмотрел мне в глаза и по-отечески произнес: «Ты справишься». Я ответил: «Мы еще удивим вас. Вот посмотрите. Прощайте».

Этот период нашей жизни закончился, и надо двигаться дальше. Но куда?

Откуда-то, как из кино или, быть может, из разговоров с врачами, всплывает многозначительное слово «реабилитация». Я себе это представляю вполне кинематографически: красивая клиника в горах на берегу озера, живительный воздух, лебеди. Жанна продолжает физиотерапию, набирается сил и хорошеет на глазах.

Немецкие врачи не разделяют моего энтузиазма. Удивленно разводят руками — мол, а зачем ей реабилитация? Не навредит, конечно, но зачем, в общем? Однако если вы желаете, это, разумеется, возможно организовать.

Счет меня удивил: меньше 6 тысяч евро за месяц. Но то ли трудности перевода встали между нами, то ли обычное плутовство, однако реабилитационная клиника оказывается не в воображаемой мной Швейцарии, а где-то совсем неподалеку, в Германии, в ста с лишним километрах от Гамбурга. Но тоже озера, лебеди и все возможности для того, чтобы похорошеть. Подписываю документы и улетаю в Москву. Жанну переводят в реабилитационную клинику без меня. Спустя сутки получаю от нее гору смайликов. Счастье, что у жены отменное чувство юмора: немецкие врачи устроили ее в хоспис.

Итак, мою молодую жену целый месяц будут окружать бесконечно старые люди, большинство из которых даже не на инвалидных креслах — на инвалидных кроватях. Ну что же, прекрасный мотив, чтобы поправиться.

Жанну это недоразумение ужасно развеселило. И этот месяц она восприняла как неожиданное приключение, как поездку летом в деревню к бабушке: воровала с подругами яблоки из столовой, устраивала гонки на инвалидных креслах, кормила с Платоном лебедей и чувствовала себя самой живой и, несомненно, самой молодой в этом странном доме на берегу озера.

Я проклинаю свою неосмотрительность и больше всего хочу, чтобы Жанна поскорее вернулась домой. Вот уже почти год, с тех пор как мы впервые улетели в Майами в ожидании рождения сына, я «живу» в самолетах. Хватит. Мы вернемся домой и продолжим лечение. Где, если не дома, нам помогут? По крайней мере, там доктора будут понимать, кого они лечат, а я смогу говорить с ними на одном языке. Жанна поддерживает план возвращения: «Я очень соскучилась по Москве». И я лечу в Москву первым, чтобы подготовить всё к нашему приезду.

> Тогда я дал себе слово, что когда наша история завершится, обязательно поделюсь опытом пережитого. Разумеется, я надеялся, что нас ждет гораздо более светлый финал. Увы, этого не случилось. Но слово свое хочу сдержать. Думаю, что, столкнувшись с раком, люди попадают в одну и ту же западню: растерянность, беспомощность... Убежден: главная беда в наших реалиях — это отсутствие информации. Вот краткое руководство к действию для тех, кто заболел и ищет помощи:
>
> 1. Получив диагноз, перепроверьте его как минимум у двух других врачей, чтобы избежать ошибки. Обращайтесь к специалистам, о которых вы слышали хорошие отзывы от знакомых. Постарайтесь найти того, кто порекомендует вас доктору.
>
> 2. Не тратьте время на непроверенную информацию с любительских или коммерческих

форумов. Лучше сразу обратитесь к профессионалам. Если форум медицинский, там часто высказываются и дают консультации специалисты. Что, разумеется, не заменяет очной консультации с врачом.

3. Сдайте абсолютно все анализы, которые имеют отношение к вашему заболеванию. Врач, который вас ведет, и два других, которые будут перепроверять ваш диагноз, будут добавлять анализы. Не откладывайте ничего на потом. Сдавайте всё. Если есть возможность, результаты сложных исследований тут же переводите на английский язык (в случае лечения за границей это пригодится).

4. Сохраните и отсканируйте все имеющиеся у вас медицинские документы. Можно просто сфотографировать их телефоном, если вам удастся при этом сделать эту фотографию большой и четкой, чтобы врачи, которые, к примеру, будут консультировать вас онлайн, могли легко и не продираясь сквозь недостатки фотографии прочесть то, что на ней написано. Распечатайте. Сделайте копию. Создайте на рабочем столе своего компьютера отдельную папку «История болезни». Тогда вы сможете отсылать и показывать доктору все недостающие документы по первому требованию, не теряя время.

5. Возможно, что с вашим заболеванием умеют неплохо справляться и в России. Тогда необходимости стремиться за рубеж нет. Российские врачи достаточно образованны, информированны и умеют лечить большинство известных видов рака. Важно правильно подобрать медицинское учреждение и наладить контакт с доктором.

6. Если ваш случай выходит за рамки стандартного: сложности в постановке диагноза, редкая форма, отказ от лечения в России, — ищите помощи за границей.

7. Проведите исследование, какая клиника в мире специализируется на вашем заболевании. Учитывайте, что в Америке большинство клиник будут существенно дороже, чем в Германии, а в Германии, скорее всего, дороже, чем в Израиле. Такое исследование надо проводить как раз в Интернете. Не помешают и разговоры с врачами.

8. Если вы не можете выбрать клинику и решить, как лучше действовать, можно посоветоваться с работниками благотворительных фондов, существующих в России. Даже если они не смогут помочь вам деньгами (или если вы не нуждаетесь в финансовой помощи), они смогут подсказать, как лучше действовать.

9. Возможно, в случае необходимости лечения или обследования за границей иностранная клиника потребует сдать некоторые анализы заново. Однако если исследования проведены в авторитетных местах, переведены на английский профессиональным медицинским переводчиком и не устарели, право не пересдавать можно отстоять. Как правило, анализы переназначают из-за недоверия к российским системам исследования.

10. Подавляющее большинство хороших заграничных клиник обычно не выставляет никаких счетов до вашей личной консультации со специалистом. Не надо ждать, что сто-

ит только послать в клинику анализы, как вам тут же назовут стоимость лечения. Как правило, при клинике существует «Отдел медицинского туризма». Его услуги платные, и их включат в общий счет. Связываться с «Отделом медицинского туризма» надежнее и дешевле, чем с посредниками. У отдела есть свой раздел на сайте госпиталя. Во многих случаях эта страница бывает и на русском языке.

11. Что касается виз, они бывают медицинские. Медицинскую визу получить проще и быстрее, чем туристическую.

12. Даже когда клиника выставит вам счет, будьте готовы, что сумма, в нем указанная, изменится впоследствии. В редких случаях лечение стоит меньше, чем планировалось. Чаще — больше. Многое зависит от того, как ваш организм будет реагировать на лечение.

13. Не забудьте добавить к сумме лечения расходы на жилье и еду. Это, к сожалению, совсем не дешево. Как правило, хорошо лечат в развитых странах. А жизнь там — дорогая.

14. И самое, на мой субъективный взгляд, важное. Соглашайтесь на лечение у того врача, которому доверяете, которого чувствуете. Поверьте, вы сразу это поймете.

Всё это правила, которым меня научили месяцы борьбы за Жанну. Разумеется, эти простые истины, выписанные кровью, в итоге знает каждый онкологический пациент или его родственники. Каждый из нас дорого бы отдал за то, чтобы знать план действий заранее.

Мой самолет заходил на посадку в аэропорту Шереметьево. Ноябрьская Москва была серой и неприветливой. Дождь хлестал в лобовое стекло машины. Я ехал домой, чтобы подготовиться к приезду Жанны. На бытовом языке это означало переоборудовать любовное гнездышко в многофункциональный медицинский центр и постараться приспособиться к новой жизни.

ГЛАВА 17

Ленинградское шоссе. Ноябрь. Пробка. Дворники шуршат по лобовому стеклу машины: тик-так. Отсчитывая секунды, минуты, часы жизни, которая то ли еще была, то ли ее уже и не было больше. Сколько раз мы, счастливые, возвращались этой дорогой домой из наших путешествий? Будут ли они еще? Что вообще будет? И как?

Я бы дорого отдал за то, чтобы в той ноябрьской серой безысходной пробке у меня была возможность кому-то позвонить и начистоту рассказать о моих проблемах и страхах. Но звонить было некому.

С 2012 года существует всероссийская круглосуточная бесплатная линия, на которую может позвонить любой онкологический пациент или его родственник и получить квалифицированную психологическую помощь: 8—800—100—01—91. Запишите номер и сохраните, даже если сейчас никого рядом с вами с диагнозом «рак» нет. Однажды этот телефон пригодится. Может, не вам, но кому-то, чьи проблемы принятия диагноза и жизни с ним окажутся трудноразрешимы.

Я вошел в пустую квартиру. Не раздеваясь, сел к компьютеру и открыл поисковик: мне нужно заказать многофункциональную кровать, мебель, кресло-каталку, поручень, средства гигиены — словом, всё то, что жизненно необходимо для нормального существования тяжело больного человека. Я перелистывал фотографии, но мысли мои были далеко. Я вспоминал солнечный день в Майами. Больничная палата. Детское шампанское. Именные часы. Худое запястье... Наденет ли она их когда-нибудь? Не могу об этом думать, мне страшно. И не думать не могу. Возвращаюсь к медицинским кроватям, не особенно вникая в разницу между одной и другой. Между ходунками, пеленками... Какое, в принципе, это может иметь значение? Пациент — моя 38-летняя жена. Разве это вообще возможно?

> Увы, тогда я не знал, что могу позвонить в службу психологической поддержки или на горячую линию Первого Московского хосписа +7 (499) 245—00—03 и задать все интересующие меня вопросы. Что это не стыдно и не страшно — подбирать средства ухода за тяжело больным человеком. Что имею право на помощь и поддержку, в том числе от выездной службы хосписа. И что это — бесплатно.

...Кто будет находиться с Жанной 24 часа в сутки: няня, медсестра? Где их искать? Кто будет врачом, который станет приезжать к ней, чтобы продолжать химиотерапию, ведь мы осмелились проводить ее самостоятельно в домашних условиях, но под наблюдением врача. Как сохранить в тайне состояние Жанны? Смогут ли родители уважительно отнестись к нашему секрету? Надо посмотреть правде в глаза: жить одни мы не можем. И Жанне, и Платону необходима круглосуточная забота — одному мне не справиться. Кажется, единственный разумный выход — временно остановиться в доме ее родителей. Что ж, так тому и быть.

Все эти мысли каруселью бегут у меня в голове. Заставляю себя выдохнуть и вернуться к делам. Главное — найти способ вылечить Жанну.

По рекомендации нахожу врача — нейрореаниматолога из клиники Бурденко доктора К. Он — тоже один из добрых ангелов, помогавших нам выкарабкаться. К. соглашается приезжать к нам домой, консультировать, контролировать ход химии, приглядывать за Жанной и хранить тайну.

В те дни я часто звоню в Америку. Для меня важно, чтобы наш лечащий врач, доктор Али Азиз Султан, оставался в курсе всего, что происходит с Жанной. Для меня это как будто страховочный трос — авторитетное второе мнение, и, если что-то пойдет не так в России, — призрачный, но все же шанс вновь доверить здоровье любимой американцам.

В один из дней Али звонит сам.

— Как ты, мой друг?

— Али, я должен тебе признаться. Мне очень страшно.

— Дмитрий, я хочу, чтобы ты знал, — без предисловий, прямо, но аккуратно начал он, — Жанна умрет. Это только вопрос времени. Никто не знает когда. Но это произойдет.

— Я знаю, Али, я понимаю…

Как я смею? Что же я за чудовище? Как могу я бороться за спасение жены и в то же время говорить такое? Или, быть может, то, что я всё понимаю, — это только на пользу нам всем? Но что делать с этим знанием? Знать, что болезнь — это навсегда, подстраиваться под нее, но все же продолжать жить — это одно. А жить и знать, что Жанна обречена, — это другое. Как это возможно? Для чего тогда все усилия?

— Подожди. Разве не ты говорил мне, что мы можем победить? Разве не ты говорил о том, что с этим диагнозом почти не живут, но у нас, у Жанны, все равно есть шанс, и больший шанс, чем у всех? Ведь ты говорил о том, что статистика несовершенна и она на стороне Жанны! Правильный, здоровый образ жизни, молодость, в конце концов, мотивация жить, Али, у нас сын! Погрешность в статистике — ведь так ты говорил? Так вот я и хочу, чтобы она была именно этой погрешностью. Она это заслужила!

— Ты должен верить в лучшее, — мягко продолжает Али. — Но ты должен быть готов к любому исходу. Главное — что ты борешься. Только помни, через три месяца или через тридцать лет наступит момент, когда правильным будет отступить. Так будет лучше именно для Жанны. Мы научились долго искусственно поддерживать жизнь. Но что это будет за жизнь и для нее и для тебя? Подумай об этом.

— Как я могу не думать... Спасибо, мой друг. Я буду звонить.

Через неделю в обстановке строжайшей секретности Жанна возвращается домой. Она смотрит на свою родную Москву из окна автомобиля. Молчит. Могу только догадываться, как ей тяжело. Еще совсем недавно бежавшая легкой походкой по этим улицам, порхавшая по площадям, щебечущая с подружками в кафе, беззаботная. Такое ощущение, что малоподвижная Жанна, возвращающаяся сейчас в свой любимый город, и та Жанна, которую этот город знал, — это два разных человека. Что же, нам надо начать жить здесь заново.

Я начал ходить по больницам. В первую очередь, по рекомендации Иосифа Давыдовича Кобзона, это была клиника Бурденко.

Раннее декабрьское утро. Академик Александр Николаевич Коновалов назначил встречу на 7 утра.

Захожу. Привычный запах. Белый больничный свет. Знакомое «снимите пальто, наденьте бахилы, ожидайте». Ожидаю. Ощущаю, что от волнения, как от холода, начинаю трястись мелкой дрожью. А в руках у меня дрожит история болезни Жанны.

Несмотря на раннее время, Александр Николаевич входит уже в медицинской одежде, похоже, вскоре у него операция. Доктор Коновалов производит сильное впечатление. Человек сильнейшего магнетизма и обаяния. И при этом удивительной скромности. Ему хочется довериться, не стыдно просить о помощи. Передо мной врач по призванию. В свои восемьдесят он по-прежнему проводит многочасовые операции, оставаясь непревзойденным примером мастерства для поколений нейрохирургов всего мира. Основатель школы микронейрохирургии. Автор новых приемов и методик. Пионер-изобретатель Александр Коновалов.

— Не хотите взглянуть, как идет операция? Зайдите в кабинет, — спокойным, участливым голосом приглашает он.

Я смотрю на огромный телевизионный экран, где в реальном времени транслируется операция на мозге. Зрелище завораживает. Но, к сожалению, понимаю — операцией Жанне помочь нельзя. Об этом в один голос говорят все врачи и в России, и за границей. Невозможно. Опухоль располагается так неудачно, что с вероятностью более 50 процентов операция парализует половину тела. А избавиться от опухоли до конца так и не удастся. Операция — билет в один конец. Об этом лучше забыть. Тем временем доктор Коновалов сосредоточенно рассматривает снимки и просит меня подойти.

— Произошла трагедия, — произносит он. — Коллеги из США всё сделали правильно, верно назначили лечение. Я сожалею, но мы ничего не можем сделать. Всё, что мы можем, — только организовать ее уход.

Уход? О чем идет речь? Ухаживать за ней? Госпитализировать, наблюдать? Или сделать так, чтобы она комфортно умерла?

— Что вы имеете в виду?

— Вы можете рассчитывать на нашу помощь, если понадобится.

Изумленный и растерянный, я пытаюсь что-то сказать, осознать сказанное, выяснить подробности…

— Молодой человек, — произносит Коновалов. — Не спешите. Всему свое время.

Драгоценное время, отведенное на наше свидание, истекло. И мы расстаемся. Больше ему нечего мне сказать.

Мы встретимся еще один раз, когда он любезно пригласит меня в свой кабинет, чтобы вместе с другими ведущими специалистами клиники найти возможные варианты лечения для Жанны. Но все они малоприемлемы для нас. По сути, это не лечение, а паллиатив. И главное — отказ от сопротивления.

Встреча с академиком Михаилом Романовичем Личиницером из онкоцентра имени Блохина откладывалась. Рассматривая наш случай, он собирал не один консилиум, советовался с коллегами, просил предоставить то одни, то другие исследования, выписки... Наконец мы встречаемся. Михаил Романович говорит неопределенно, размыто. Я никак не могу ухватить суть. Ссылаясь на одно из последних исследований, опубликованных в медицинской периодике, он настоятельно рекомендует препарат как бы в дополнение к стандартному протоколу лечения. Быть может, это принесет свои плоды. Одна таблетка в день. А что-то большее? Увы, ничего. Я понимаю: нашей медицине предложить Жанне нечего. На одной из консультаций меня спрашивают: «Как вы хотите, чтобы она умерла: быстро и безболезненно или долго и мучительно?» Я не выдерживаю. «Наверное, вы смеетесь надо мной. Вы издеваетесь? Как я могу ответить? Я пришел просить вас спасти жизнь, а вы предлагаете смерть. Не знаю, что ответить вам, ребята!» Никогда прежде я не держал на руках умирающую от рака жену и не могу ничего про это знать! И, если честно, не хочу. Хочу, чтобы всё было как прежде, чтобы всё это оказалось просто страшным сном. Но всё это явь.

Никто в России пока не предлагает никаких вариантов лечения. Ничего, что могло бы дать Жанне хотя бы шанс на выздоровление. Или хотя бы шанс на насколько возможно долгую жизнь. Мне предлагают смириться. Мы не за этим вернулись домой.

Я выбираю борьбу.

И мне опять так необходимо, но совершенно не с кем поговорить. Я не пересказываю родителям Жанны вопросы врачей про смерть. Не потому, что что-то скрываю. Понимаю, что им нечего на это сказать. Они по-прежнему не предприняли ничего, чтобы помочь дочери. Только задают вопросы. По тысяче раз одни и те же вопросы. К чему тогда эти разговоры? Не могу рассказать и своим родителям — они жалеют меня, но не в силах помочь. У меня нет ответов, и мне страшно: мы ехали в Россию в надежде на «стены, которые помогут». Наверное, это была глупая надежда. Наверное, мы потеряли время, и от этого особенно жутко. Мы в тупике: нам не на что рассчитывать здесь.

Тогда, в ноябре и в декабре 2013 года, я вновь начинаю судорожно искать выход. Должно же быть хоть что-то. Но все, что я вижу, — это унылые медицинские учреждения, вижу обреченные лица пациентов, ждущих решения своей участи в длинных больничных коридорах. Обстановка не обнадеживает. Разговаривая с врачами, прося об официальных и заочных консультациях, выспрашивая, умоляя посоветовать, подсказать что-нибудь, со временем выясняю: возможное спасение кроется в клинических исследованиях, так называемых trials.

> Trial {трайал} — это клиническое испытание, уникальная возможность больным редкими или даже неизлечимыми формами рака войти в группу испытателей и испробовать на себе лекарства, которые другим пациентам будут доступны только через несколько лет; участие в trial не гарантирует пациенту ничего. Это просто попытка, эксперимент, если угодно, русская рулетка, где на кону — жизнь. Но все же иногда это шанс продлить жизнь даже тогда, когда все вокруг уже сказали «нет». В исследованиях принимают участие добровольцы. В ходе клинических испытаний как исследу-

ются новые методы лечения рака, так и осуществляется комбинирование уже известных методов для облегчения симптомов и побочных эффектов лечения.

По сути, клинические исследования — одна из движущих сил в развитии знания о лечении рака. А для некоторых пациентов со сложными или неизлечимыми формами участие в исследовании — единственная возможность получить помощь благодаря новейшему, но еще не запатентованному лечению, а также помочь будущим поколениям пациентов.

Научные исследования проводят клиники по всему миру. Актуальную информацию о запланированных и проходящих на данный момент можно найти на сайте clinicaltrials.gov.

Диагноз Жанны подходит для участия в одном из исследований, которое начнется в Нью-Йорке в начале февраля следующего, 2014 года в известной на весь мир клинике Memorial Sloan Kettering. Немедленно налаживаю переписку.

Парадоксом происходящего для меня является то, что я отчетливо понимаю: в России достаточно специалистов, которые прекрасно владеют информацией о передовых методах лечения онкологических заболеваний, о проводимых в мире исследованиях, новейших технологиях и лекарствах. Они участвуют в международных конференциях и знакомы с медицинской периодикой. Знают, что «Темодал», «Авастин», облучение, предписанные Жанне, — это не единственное, что в нашей, хоть и безнадежной ситуации можно предпринять. Они знают, но по каким-то причинам не говорят об этом вслух.

Почему?

Почему ни на одной из многочисленных консультаций мне не сказали о возможностях, которые все же стоит испытать? Быть может, считали, что диагноз не оставляет надежд? Возможно. Но разве не пациент или его близкие должны принимать решение, во что верить, как действовать, в конце концов, жить или умереть? И даже если не принимать всё сказанное мной в расчет, почему никто не решается сказать прямо: «Уезжайте и ищите спасение не здесь»?

ГЛАВА 18

О болезни вообще и о раке в частности написано и снято много. О людях, которые с этим столкнулись, о тех, кто вышел из схватки победителем, и тех, кто проиграл. Многие ли интересуются этими вопросами до того, как произойдет беда? Можно ли быть готовым? Ведь стадии болезни, беспокойство родственников и самого онкологического больного, отчаяние, эйфория — всё это уже не раз было пройдено другими людьми, было описано и обдумано... Так почему же мы не доверяемся чужому опыту? Мы тщательно готовимся к рождению ребенка или свадьбе, но совсем не готовимся к болезни, к боли, к потере. Нам кажется, то, что мы не произносим вслух, то, о чем не позволяем себе думать, — никогда не случится. Мне кажется, что всё это — не более чем уловки играющего с нами нечестную игру подсознания: мы боимся. Мы обыкновенно трусим. Мы не хотим утруждать себя ни своими, ни тем более чужими переживаниями. А хотим прожить жизнь легко и беззаботно, не зная о боли и страданиях. Возможно, единицам это удается. Нам с Жанной — не удалось.

> Если вам пришлось соприкоснуться с раком, пожалуйста, обратите внимание на следующие книги:
>
> - Кен Уилбер, «Благодать и стойкость»,
> - Давид Серван-Шрейбер, «Антирак»,
> - Катерина Гордеева, «Победить рак».
>
> Даже если вы прочтете эти книги не вынужденно, а из любопытства, вы увидите, что каждая из них — колоссальный опыт и багаж знаний, которые, возможно, когда-нибудь пригодятся.

До болезни жены мой личный опыт знакомства с раком был незначительным. Когда мне было три года, от рака скончался дед по материнской линии. Плохо запомнив его, я тем не менее навсегда связал в подсознании курение и рак легких.

В семье Жанны рак, спровоцированный производственной аварией, унес жизнь ее деда. Но история его болезни и смерти была далека от нее.

Впрочем, к Жанне рак подступал и ближе. Одна из ее подруг пережила это испытание, буквально собственными силами и железной волей заставив себя выстоять. Кажется, ее рецепт борьбы был на удивление прост: воспринимать болезнь как приключение. Она с достоинством прошла всевозможные терапии, выкарабкалась и, кажется, будто даже похорошела за эти годы. Ну вот, собственно, и всё, что мы на двоих знали о раке к тому моменту, когда встретили его сами. Не густо.

Само это слово далеко не сразу вошло в наш семейный обиход. Чаще всего обходились словом «опухоль». «Глиобластома», «астроцитома», «опухоль головного мозга» — исключительно в беседах с врачами. Но слова «рак», словно по негласной договоренности, долго избегали. Разумеется, со временем оно просочилось в повседневную речь, укрепилось и больше не пугало, не ошарашивало.

Признаюсь, я никогда не думал о том, что Жанна умрет в некоем бытовом, прикладном смысле этого слова: не представлял похорон, не мог даже допустить, что однажды она просто заснет и не проснется. Ничего подобного. Но довольно часто меня преследовали мысли о том, как я буду растить сына один. Как будто понимал, что в конечном итоге такое возможно. И ругал себя за это, одумавшись. К тому же так много людей говорили мне о неизбежном трагическом финале этой драмы, что волей-неволей я возвращался к этим печальным раздумьям.

Но в глубине души я был абсолютно уверен, что с нами обязательно произойдет чудо. Я верил, что Жанна выкарабкается. Не могу этого объяснить. Это чувство было подобно лучу света, который бьет через темное, грязное облако. Маленький огонек надежды среди неутешительных фактов. Ты находишь его внутри себя и думаешь: «Всё ведь может быть по-другому».

В этом жизнеутверждающем заблуждении я пребывал не один. Однажды я попытался заговорить о будущем с мамой Жанны. Просто необходимо было поделиться мыслями и, быть может, найти им поддержку. Она даже не дала мне договорить, заявив твердо: «Знаю, с дочерью всё будет в порядке». То же говорили и подруги Жанны: «Вот увидишь, все образуется». Как много людей малознакомых и порой посторонних, не знакомых между собой, твердили: «Мы знаем, с ней всё будет хорошо». И это в противовес нашим врачам, не сомневавшимся в том, что хорошо не будет.

Любое дежурное или снисходительное утешение тогда раздражало. Но всякий благоприятный прогноз от кого угодно неизменно притягивал, давал еще одну зацепку надежде. И между безнадежностью и верой я выбирал последнюю. Мне кажется, каждому необходима надежда даже тогда, когда любимый человек уже который месяц прикован к медицинской койке без видимых улучшений.

...Некогда стройное и подтянутое тело, измученное дикими дозами гормональных препаратов, теперь походит на бесформенный бурдюк, наполненный водой и жиром. Кожа, потеряв былую упругость, безжизненна, бледна, как будто измята, испещрена синей сетью вен и гигантскими растяжками. Те напоминают скорее неравномерно зажившие грубые шрамы, оставленные зазубренным тесаком. Это тело, словно чужое, ей не принадлежащее, само собой существующее, грузно расползается по кровати, едва ли поддаваясь привычным когда-то командам: повернуться, приподняться, встать. Его, словно тесто, ворочают, обтирают, моют, впихивают в безразмерную мешковатую одежду. Она все равно не сходится, оставаясь приспущенной, полурасстегнутой, а где-то натянутой до предела усилием трещащих пуговиц. «Сделайте шаг! Еще! Вы должны! Это нужно», — командует голос из пелены. Один шаг, другой. Непослушная нога вздрагивает в суставах, не слушается, действует как в кошмарном сне, когда хочется бежать, но от этого движешься еще медленнее. Неловко болтается безвольная ступня, косо касаясь пола, подворачивается, обрушивая на пол всё это нескладное сочленение в нелепой, мешающей всюду одежде.

Голова кругом, виски наполняет свинец боли. «Воды!» Встать невозможно, словно кукловод оборвал все нити до единой, оставив только ничтожное право неловко извиваться на полу, щупая непослушными руками воздух в поисках опоры.

Жанна необыкновенно слаба и почти все время спит. Кажется, она не в состоянии сделать и двадцати шагов. Тяжелая болезнь породила и личностные изменения. Теперь порой вместо взрослой сознательной женщины передо мной упрямый подросток. Я буквально уговариваю ее встать, сделать хотя бы несколько шагов, а выйти на улицу — уже большая победа. Сто метров прогулки — несколько дней уговоров. Ей тяжело. Действительно тяжело всё: есть, ходить, сидеть. Увы, ей тяжело жить.

Однажды мой отец, от которого следовало бы ожидать поддержки, отвел меня в сторону и сказал: «Жанна не протянет долго». — «Прошу, давай думать о хорошем. Хотя бы в канун Нового года», — отрезал я.

Вокруг все действительно готовятся ко встрече праздника. Я же с утра и до ночи штудирую Интернет — время уходит. Жанне необходимо помочь.

Я ищу варианты «вписать» Жанну в группу испытаний по лечению ее специфической формы глиобластомы. Потому как все клиники, куда я обращался до сих пор, в ответ на присланные медицинские документы отвечают, как под копирку: согласны с избранным протоколом лечения.

Накануне католического Рождества приходят два обнадеживающих ответа. Один — из Америки: кандидатуру Жанны согласны рассмотреть для участия в экспериментальном протоколе лечения в знаменитом на весь мир Memorial Sloan Kettering Cancer

Center в Нью-Йорке. Другой ответ — из загадочной Японии. «Думаем, нам есть что вам предложить», — пишут люди, чьи имена в конце письма состоят из иероглифов.

Так подошел новый, 2014 год. Я запомнил его очень хорошо. Мы по-прежнему в доме родителей Жанны. Поддержать нас приехала и моя семья.

Тридцать первого декабря все мы находились в крайне возбужденном, взвинченном состоянии. Радость любимого праздника, помноженная на боль и страх каждого из нас, была подобна истерике. В течение всего дня наши мамы возбужденно нарезали один-единственный салат, а подготовка не ладилась и была не в радость. Но это было не главным. Мы все понимали, как важно хотя бы в этот особенный вечер быть заодно. Быть вместе, несмотря на сложные отношения внутри семьи, несмотря на непонимание, несмотря ни на что попробовать поддержать друг друга, попробовать сплотиться. Ведь, казалось, тот Новый год именно затем и наступал в нашей жизни. Жанна даже нашла в себе силы присоединиться к праздничному столу.

Ударили куранты. Мы подняли бокалы. И я навсегда запомню, как все мы, совершенно разные люди, собравшиеся за одним столом в первый и последний раз в своей жизни, без сомнений, загадали одно и то же желание: «Пожалуйста, умоляю, пусть она выздоровеет». Мы обнялись и расплакались.

* * *

В этой книге я осознанно стараюсь избегать упоминаний о взаимоотношениях Жанны с ближайшими родственниками и моих отношениях с этими людьми. Избегаю также комментариев скандальных тем, которые с таким усердием множили и продолжают это делать средства массовой информации после смерти Жанны не без помощи ее отца, матери и сестры. Говорить об этом я считаю унизительным и недостойным памяти моей женщины. Я дал себе обещание молчать, поскольку сказать что-то хорошее об этих людях я не могу. На протяжении всего нашего недолгого знакомства Жанна избегала или строго дозировала общение с ними, а о наших совместных встречах никогда не заходило речи. Ее болезнь вынудила к сближению, что, к несчастью, не принесло никому пользы. Могу констатировать только одно: никто из членов семьи Жанны в течение двух лет болезни не предпринял ничего, что могло бы спасти жизнь их дочери и сестры. Поиск клиник, лечащих врачей, поиск второго мнения, сопровождающих специалистов, медсестер, физиотерапевтов, диетологов, медицинских рейсов, машин скорой помощи, работа с анализами, заграничные командировки и консультации, поиск лекарств — ничего. Но с избытком компенсировали это выступлениями на телеканалах и страницах газет.

ГЛАВА 19

Наверное, без этого не обходится ни одна история болезни и история борьбы: в какой-то момент рядом появляется кто-то, кто предлагает вариант чудесного спасения.

Я брел из онкоцентра на Каширке к автомобилю и зацепился взглядом за трафаретную надпись на асфальте: «Лечу от рака. Дорого. Самые безнадежные случаи». Какое-то наваждение: вначале оцепенел и уже почти полез в карман за мобильным телефоном. Но вовремя одернул себя: чушь! Ее не могут вылечить лучшие врачи в стране и мире. А тут — три строчки на асфальте.

Подобные опасные предложения, сбивающие с пути, дарящие ложную надежду, манипулирующие отчаявшимся сознанием, часто обернуты в идеальную упаковку: «Новейшая разработка ученых, тайное знание, последнее достижение научной мысли...» Примерно так во время личной встречи описывал представитель некой японской клиники уникальный передовой антираковый метод, который нам с Жанной предлагали испробовать.

Письмо из Токио пришло накануне Нового года. И в момент, когда били куранты и вся наша семья, замерев, молилась о здоровье Жанны, мое сердце в надежде подпрыгивало: вдруг это шанс? О лечении в Японии до сего момента я никогда не слышал. Разве что одна знакомая пара однажды совместила поездку туда с ежегодным обследованием. Но чтобы лететь лечиться туда из России?!

С представителем японской клиники мы встречались вместе с доктором К., который вел Жанну в России, единственным, на кого я мог положиться, оставляя ее во время своих отъездов и просто в самом страшном «случись что». Итак, нас уверяют: после бомбежек Хиросимы и Нагасаки в Японии произошел всплеск раковых заболеваний, и за все эти годы именно в Стране восходящего солнца накоплено уникальное знание и найдена уникальная технология лечения онкологических заболеваний. Теперь, холодным рассудком, я понимаю: то, как выглядел этот человек (некто по фамилии Евфанов), то, что обещал, всё, что говорил, выдавало в нем шарлатана и вымогателя.

— Она уже полысела?

— Нет, волосы в порядке.

— Полысеет. Скорее езжайте в Японию.

Но сознание человека устроено так, что в критической ситуации цепляется за любую надежду. Даже самую надуманную и неочевидную. Вот и мы с доктором К. ухватились за призрачный шанс на спасение в Японии и полетели в Токио. Короткий визит: три встречи за два дня.

Первая — прямо в холле отеля со специалистом по лучевой терапии. Он похож на сумасшедшего профессора: растянутый мешковатый свитер, волосы торчком, сбивчивая речь, отсутствующий взгляд. Единственное, что я запоминаю из слов переводчика, —

«надо жечь пострадавший мозг» в надежде на то, что это убьет опухоль. Ну что же, отрезвляющее начало.

Мы идем кварталами старого Токио, мимо одноэтажных деревянных домов с завитками на скатах крыш — как показывают в программах о путешествиях. Вторая встреча. Входим в пустынный офис. За прозрачной стеной вдоль коридора люди в белых скафандрах переливают из одних емкостей в другие красную жидкость, напоминающую кровь, запаивают ее в пластиковые прозрачные пакеты. Двигаются медленно. Выглядит всё это устрашающе. Навстречу нам выходит худощавый пожилой японец. На ногах у него домашние тапочки. Улыбается хитро, приглашает присесть.

— Мы здесь, чтобы найти способ помочь моей жене. Тридцать восемь лет. Неоперабельная астроцитома третьей степени.

Японец неторопливо начинает рассказывать о своем открытии, суть которого в грубом переводе на русский заключается в том, что он «научился заряжать кровь пациента на борьбу с раком». Далее мужчина в тапочках начинает пояснять свое изобретение языком медицинских терминов, чертит графики, приводит данные. К. слушает внимательно, задает вопросы. Спустя некоторое время произносит:

— Да, это имеет смысл. Это логично. Если всё действительно так, как он говорит, это должно работать.

— Как организовать помощь? — спрашиваю японца.

Условия нашего сотрудничества заставляют серьезно задуматься. Как оцените их вы, читая непредвзятым взглядом эти строки? Итак, два врача должны вылететь из Токио в Москву, для того чтобы собственноручно взять кровь пациента. После чего в специальных контейнерах они везут кровь в токийскую лабораторию, «заряжают» ее и спустя несколько недель передают готовую сыворотку обратно в Россию, где лечащий врач вводит ее пациенту. Можно ли проверить содержимое пакетов? Конечно, нет. Также российские законы запрещают перемещать биологический материал через границу. Это означает, что каждая перевозка — серьезный риск просто лишиться всего на половине пути. Около 100 тысяч долларов за четыре инъекции, никаких гарантий и, главное, никакого контроля в обмен на призрачный шанс на ремиссию. По-вашему, это разумно? Как бы вы поступили? Обескураженный, прощаюсь. Я должен подумать.

Ради любимых мы готовы на всё и будем использовать каждую возможность, малейший шанс, каким бы абсурдным он ни казался. И до чего циничны те, кто, понимая это, продает пациентам надежду из далеко не альтруистических соображений или интересов науки, а ради наживы.

Третьего врача, которого мы встретим, рекомендуют как «звезду онкологии». Доктор Хасуми — непримиримый борец с раком и последняя надежда отчаявшихся.

Частная клиника занимает целый этаж гостиницы-небоскреба. Двери лифта открывают перед глазами бездонное пространство без глубины и объема, залитое белым светом. Коридор как будто ведет в никуда, и кажется, что ты умер и идешь навстречу Всевышнему. Двери на нашем пути раскрываются сами, разъезжаясь в стороны: одна, другая. Оказываемся перед стойкой рецепции. Подобно биологическому роботу, не выражающему эмоции, японка с каре предлагает нам присесть в ожидании встречи и после перестает нас замечать и, кажется, даже двигаться. На стены проецируется голограмма, говорящая по-японски. Эхо ее электронного голоса разносится по пустым коридорам. Ждем.

— Пройдите, — указывает «биоробот» на стену.

Подходим. Она раздвигается перед нами. «Доктор вас ждет». В комнате пусто. Спустя минуту раздвигается противоположная стена и входит Хасуми. Происходящее напоминает серию бондианы. Агент 007 наверняка взорвал бы эту лабораторию, эффектно ускользнув за секунды до взрыва, непременно прихватив с собой «биоробота» — иронизирую я про себя, потому что всерьез воспринимать происходящее более невозможно.

— Что вы можете предложить?

— Инъекции.

— Пожалуйста, поясните.

— Я предлагаю вводить пациентке лечебный препарат в шейную артерию.

— Вы понимаете, насколько это опасно для жизни? Если вместе с инъекцией в кровь попадет кислород, этот укол станет смертельным.

— Да, понимаю.

На вопрос, сколько подобных инъекций он уже сделал, «прославленный» доктор ответил уклончиво. Разговор продолжать не имело смысла.

Еще недавно, лелея внутри робкую надежду на спасение в неизведанной и загадочной Японии, я прикидывал, как было бы возможно провернуть подобное: перевезти туда Жанну, быть с ней, ждать результатов. Чем черт не шутит? В конце концов, где мы уже только не были. Так почему бы и нет? Однако к концу нашего короткого визита нам с доктором К. стало слишком очевидно: то, что мы хотим помочь Жанне, вовсе не означает, что мы будем принимать абсурдные решения, поддаваться манипуляциям и, самое главное, проводить бессмысленные псевдонаучные опыты на человеке, которого отчаянно хотим спасти.

Возвращаясь в аэропорт, пролетая на скоростном поезде мимо сдавливающих пространство небоскребов, я закусил от отчаяния губу. Огромный, необъятный мир — и никто не в состоянии помочь однойединственной девочке остаться в живых.

Мы вернулись в Москву, раз и навсегда поставив точку в общении с безжалостным и заманчивым миром пустых обещаний и бесплотных надежд, щедро рассыпаемых шарлатанами от медицины.

Во время нашего отсутствия отец Жанны тоже не бездействовал. Вскоре после моего возвращения в комнату, где лежала Жанна, ввели щуплую юную девушку. Отец с порога потребовал, чтобы я вышел. Упираюсь. «Выйди!» Я послушался. После Жанна рассказала: «всевидящая» раскладывала пасьянс и гадала на картах, предсказывая будущее и судьбу. Вот во что, оказывается, верит ее семья. Жанне хватило сил, чтобы отшить гадалку и выставить ее вместе с отцом. Однако подобная ересь еще не раз придет ему в голову.

Все чаще ее родители настаивают: Жанне необходимо оформить инвалидность. «Господи, для чего?» — «Чтобы не платить налог на машину, — на полном серьезе отвечают мне. — И еще. Это не рак. Это сглаз. Женская зависть! Нам сказали, что ее фотографию подбросили в гроб!» Как после подобных слов возможно было говорить о поддержке? Как возможно верить в разумную помощь? Мы с Жанной стараемся пропускать всё это мимо ушей.

В моем ежедневнике оставался единственный адрес и одна точка на карте мира, где Жанну не просто ждали, но еще и имели на руках план лечения. США. Нью-Йорк. Манхэттен. Онкологический центр Sloan Kettering, авторитетнейшая клиника мира, специализирующаяся на передовых методах лечения рака. Разумеется, никаких обещаний никто не дает: квалифицированные врачи не собираются ставить диагноз и тем более лечить «по фотографии». Но хотя бы согласны принять и проконсультировать нас — это уже что-то.

«Вы должны понимать: сама возможность оказаться в программе исследований подобна выигрышу в лотерее. Смею заверить, ни одна клиника в России не сможет вам предложить ничего подобного. Сделайте всё возможное, чтобы попасть в программу. Поверьте, это ваш единственный шанс», — консультирует меня по телефону один из российских специалистов.

Не знаю, каким чудом, однако спустя полтора месяца переписки мне удается уговорить американский госпиталь заочно, без предварительного обследования, включить Жанну в группу клинического исследования протокола лечения ее типа опухоли головного мозга. После переговоров, переписки, препирательств, просьб и обещаний я получаю долгожданное: «Приезжайте». Они согласны! Нас ждут! Жанна примет участие в исследовании с использованием препарата СТО (Си-Ти-Оу). Для меня ничего не значат эти аббревиатуры. Но, убежденный, что это пока единственная возможность обуздать болезнь, стараюсь убедить Жанну и ее родителей в том, что ехать необходимо. МРТ подтверждает — после проделанных шести курсов химии изменений нет: опухоль не растет, но и не уменьшается. А в нашем случае это означает регресс.

— Любимая, мы едем в Нью-Йорк, — говорю я и вкладываю в ее руку два билета. — Это было бы ужасно романтично, если бы не обстоятельства.

— Мы еще поборемся? — смотрит мне прямо в глаза Жанна.

Я сжимаю ее ладонь.

— Поборемся, конечно, поборемся.

Мы держимся за руки, мы собираемся в Нью-Йорк и как будто обретаем второе дыхание от одной мысли об этой поездке. Манхэттен в январе — что может быть более располагающим к чудесам? А нам нужно именно чудо. Не меньше.

ГЛАВА 20

Говорить о деньгах вообще, а особенно когда речь заходит о жизни и смерти, в нашей культуре считается неприличным. По умолчанию предполагается: если болен близкий человек, прежде чем попросить о помощи, продай последнюю рубаху. И даже тогда просить, в массовом сознании, вроде как стыдно.

Вот и мы не просили. И даже не потому, что не нуждались в деньгах, а потому, что даже не представляли, во сколько может обойтись будущее лечение, и вообще не представляли наверняка, как лечить Жанну.

Мне вспоминается разговор с одним из врачей, который консультировал Жанну и настаивал на ее лечении в США: «Должен вас предупредить, лечение будет стоить недешево, вы должны быть к этому готовы. Счет идет не на десятки — на сотни тысяч долларов. Подумайте заблаговременно. Если вы собираетесь тратить деньги, которые откладывали на образование ребенка, от которых зависит ваше будущее, с которыми связаны неотъемлемые нужды, — не тратьте. Деньги пригодятся вам в будущем с большей вероятностью, чем существенно смогут помочь вашей жене. Увы. Подумайте над этим».

Болезнь требует четкого плана лечения и, в том числе, — четкого плана финансирования. Гордость и желание выкарабкаться из тяжелой ситуации своими силами — похвальны. Но тот, кто принимает такое решение, должен понимать, что возлагает на себя ответственность не только за себя, но и за того, кто принимать решения временно не способен. И этот план должен быть очень хорошо продуман.

Возможно, сейчас я позволю себе высказать довольно циничные соображения, но все же. Спасая близкого и бросаясь распродавать имущество, подумайте о том, что ждет впереди не только пациента, но и всю семью. Ведь после лечения последует реабилитация, потребуются лекарства. Эти траты не конечны.

Именно поэтому настаиваю: просить деньги на лечение того, кто тебе дорог, не стыдно, не преступно и не слабовольно. Это — мужественное и обдуманное решение.

Каким образом собрать деньги на лечение онкологическому больному гражданину России?

• Если пациенту менее 25 лет, то он может рассчитывать на помощь российских благотворительных фондов, которые помогают детям с онкологическими и онкогематологическими заболеваниями. Самые крупные из таких фондов — «Подари жизнь», «Русфонд», «AdVita». «Фонд Константина Хабенского»,

«Жизнь», «Настенька» и другие — как правило, занимаются помощью в определенных видах заболевания. Виды деятельности каждого фонда подробно описаны на их страницах в Интернете.

• Если пациенту больше 25 лет, то на помощь могут прийти «Фонд борьбы с лейкемией» и «AdVita». Увы, помощь взрослым пациентам в России — дело трудное и пока не широкомасштабное. Тем не менее, вне зависимости от диагноза, могут помочь такие многопрофильные фонды, как «Живой» и «Предание».

• Рассчитывать на официальную благотворительную помощь в проведении лечения за рубежом можно только в том случае, если подобное лечение не может быть осуществлено на родине. Такой пункт есть в правилах всех российских благотворительных фондов. Родственникам, изучившим ситуацию в России и в мире, может показаться, что некоторые виды лечения за границей проводятся лучше, качественнее, а условия пребывания больных в стационаре несравнимы с отечественными. Всё это не является медицинским поводом для отправки пациента за рубеж на благотворительные деньги, собранные фондами. Фонды исходят из того, что пациентов, которым им надо помочь, — много. Если лечение может быть выполнено в России, значит, оно будет или бесплатным, или недорогим, значительно дешевле зарубежного, следовательно, помочь можно бóльшему числу пациентов. Причем основываясь на равенстве прав. Если же кого-то отправлять за границу, а кого-то с таким же заболеванием лечить дома, — это выборочная, то есть нечестная благотворительность.

• Необходимость лечения за границей, как правило, подтверждается медицинскими документами: отказом из российской клиники, заключением профильного доктора, экспертного совета фонда о необходимости лечения за рубежом.

• Если решение о том, что фонд берется помочь в зарубежном лечении, будет принято, с пациентом подпишут договор оказания благотворительной помощи, а также информированное согласие, что его лицо и его история будут использованы для публичного сбора средств. Сбор будет происходить открыто, и отчетность по нему будет доступна каждому желающему.

• Решение о том, что вы или ваш близкий ни при каких условиях не будете лечиться в России, даже если такая возможность есть, может быть принято только вами на основании беседы с лечащим врачом, полученного второго экспертного мнения, общей статистической ситуации, ваших предположений о том, что ЗДЕСЬ вас не вылечат. В этом случае все риски и всю ответственность будете нести только вы. Принимая такое решение, важно понимать, что сбор средств вами может занять довольно много времени. А рак — это болезнь, в которой счет иногда идет на минуты.

Если вы приняли решение собирать деньги на зарубежное лечение самостоятельно, вам необходимо:

1. Завести в Интернете страницу.

2. Коротко описать ситуацию и выложить фотографию.

3. Представить документы, касающиеся состояния больного, и основания, по которому вы приняли решение о лечении за границей: рекомендация врача, статистика, заключение принимающей клиники.

4. Счет из клиники, в которой вы собираетесь провести лечение.

5. Контактная информация; потенциальный жертвователь должен иметь возможность получить дополнительную информацию в любое время.

6. Номер расчетного счета (желательно несколько вариантов: рублевый, валютный, PayPal, Yandex-деньги).

7. Иногда лучше собирать средства не на личный счет, а на счет клиники; некоторые клиники идут на это, а жертвователи больше доверяют такого рода сборам.

8. Сообщение о том, с какой периодичностью и в какой форме вы собираетесь отчитываться о пожертвованиях.

Помните, что необходимая сумма на лечение — это еще не всё. Учитывайте транспортные расходы и расходы на проживание. Обозначайте сумму исходя из этой информации. Обязательно поясните, как распорядитесь деньгами, если они не будут до конца израсходованы. И, пожалуйста, не забывайте: сам факт того, что вы собрали деньги благодаря неравнодушным людям, обязывает вас регулярно отчитываться о тратах. И ни начало лечения, ни трудности, ни занятость, ни какие-то другие причины не снимают с вас этой ответственности. Очень важно понимать, что любой недобросовестный сбор, неаккуратная или непрозрачная трата благотворительных денег — удар по тем, кто будет нуждаться в пожертвованиях после вас. А такие нуждающиеся есть и будут всегда. Не подведите их.

ГЛАВА 21

Я страшно переживаю, как Жанна перенесет очередной трансатлантический перелет? Без посторонней помощи она не может ни встать с кровати, ни сделать несколько шагов. Но выбора нет. Мы должны лететь.

Наш полет запланирован на не самое популярное время, это означает, что в аэропорту, да и в самолете не будет людно. Нам это на руку. Ранним и темным зимним утром машина скорой помощи везет нас в Шереметьево. Жанна не спит. Время от времени открывает глаза и смотрит на пролетающие в окне огни, пешеходные мосты и рекламы. Забавно, даже не видя дороги, она безошибочно угадывает, где именно мы сейчас проезжаем. Что сказать — коренная москвичка. В эту игру мы играем до самого аэропорта.

Надев на Жанну очки, укутав ей голову и лицо одеялом, врачи скорой стремительно ввозят каталку в здание аэропорта, и через считаные секунды мы уже в медицинском кабинете. Отсюда Жанну так же, на кровати, спецтрапом и через отдельный вход в самолете последней из пассажиров доставят к креслу и скроют за специальной ширмой. Кажется, всё предусмотрено.

Отец Жанны торопится проститься с дочерью и уйти. Нелепая причина — оканчивается время бесплатной парковки. Ну что же. Выхожу из кабинета на несколько минут, чтобы проводить его и вернуться. Жанна остается в отдельной комнате в одиночестве и разговаривает по телефону. Кроме врача, бригады скорой помощи и дежурного — никого постороннего.

Замечаю в здании аэропорта съемочную группу, всего несколько человек с камерой и микрофоном. Но гоню от себя тревожные мысли. Не думаю, что нам что-то угрожает теперь.

Объявляют посадку. Спецтрап, самолет, кресло. Нас тут же отгораживают занавесками, устроив Жанне что-то вроде детского вигвама. Выдыхаю. Кажется, первая часть нашей невыполнимой миссии прошла успешно. Самолет выруливает на взлетную полосу, из-за ширмы доносится привычное «...в случае аварии наденьте спасательный жилет...», Жанна дремлет, она уже очень устала. Тянусь к мобильному телефону, чтобы отключить его на следующие 9 часов. В этот момент приходит сообщение от сестры Жанны, а в нем фотография из медицинского пункта. Жанна лежит на каталке, разговаривает по телефону. Постороннему человеку на этом снимке сложно узнать Жанну, до того она изменилась. Под фотографией подпись: «Вас сфотографировали в аэропорту. Пишут, что не торгуются». Как это возможно? Как кто-то мог пронюхать? Кто сделал этот снимок и когда? Почему, в конце концов, они пишут сестре? Неужели это она нас подставила? От злости всё плывет перед глазами. «Отключите, пожалуйста, мобильные телефоны и электронные устройства...» Мы взлетаем. Закрываю глаза и беру Жанну за руку. Мои отчаянные усилия последних месяцев уберечь ее от внимания пошли прахом. Понимаю, что, когда мы перелетим океан, нас ждет настоящий кошмар. И теперь нас уже никогда не оставят в покое.

Москва — Нью-Йорк. Жанна спит урывками, как ребенок, у которого температура: то просыпается, спрашивает, где мы, что происходит и что нас ждет, то засыпает тяжело, глубоко.

Я смотрю на нее и думаю только о том, чтобы ей хватило сил долететь, добраться до гостиницы. Стараюсь не думать о злополучном СМС. Но фотография всплывает в памяти. И в голове вертится одно-единственное слово: «шакалы». Они отобрали у Жанны право болеть не на виду у всех, отобрали право на частную жизнь, на красоту, не обворованную болезнью, на слабость. Как можно? Есть ли в этих людях хоть что-то человеческое?

Посадка. Ждем, когда выйдут другие пассажиры. Жанна уже настолько слаба, что не может подняться с кресла самолета и дойти до выхода. «Подайте коляску», — умоляю я. Кресло ждет нас у выхода из самолета. До него десять шагов. «Мы не можем, — отвечают мне американские ассистенты. — Самолет — территория России, нам запрещено входить. Вам придется идти самостоятельно». Господи, как это глупо. «Дайте сюда! Не видите, она не может встать?» — «Извините, у нас инструкции». Вчетвером со стюардами берем Жанну на руки и несем к двери.

Направляясь к паспортному контролю, я уже готовлюсь к тому, что у входа нас будут караулить фотографы. К счастью, никого нет. За считаные секунды проходим формальности, и я принимаюсь за поиски такси.

Еще из Москвы я пытался организовать машину скорой помощи, которая доставила бы нас из самолета в отель. Выяснилось, что в США это невозможно.

Одно дело, если следуешь прямиком в больницу. Иначе добираться придется самостоятельно.

Найти автомобиль оказалось не так сложно. Жанну прямо на коляске вкатывают в багажник мини-вэна, фиксируют ремнями, и всё, в путь. Я следую за ней на другой машине и всю дорогу страшно переживаю. Ну как же так, моя жена в багажнике. Беспрестанно звоню ей, чтобы услышать полусонное: «Не волнуйся, я жива».

Впервые в жизни — номер «для гостей с ограниченными возможностями»: специальная дверь, поручни, санузел… Я ничего не говорю об этом Жанне. Не хочу лишний раз ее травмировать. Пусть лучше она наслаждается окружающей красотой.

Мы живем в сердце Манхэттена на пересечении 5-й и 55-й. Из огромных окон огнями светится большой город, на который мягко ложатся разлапистые снежинки. Шум Нью-Йорка как будто смешивается с джазовым напевом, а морозный воздух — с дымом жареных каштанов.

Напротив окон — крыша старой пресвитерианской церкви, по соседству — знаменитый музей МоМА, Башня Трампа и Рокфеллер-центр. А еще госпиталь, где Жанну, возможно, ждет чудо спасения.

Я уложил ее в огромную кровать с высокими подушками, откуда ей прекрасно видны и город, и звезды над ним, и снежинки, замершие между небом и землей. «Боже, как хорошо», — прошептала она, впервые за долгое время утонув в накрахмаленных простынях любимого отеля, и уснула таким же легким и сладким сном, как когда-то прежде. Я лег рядом и незаметно для себя тоже провалился в сон. А телефон со всеми таящимися в нем кошмарами и угрозами нашему будущему спокойствию так и остался невключенным. До утра.

ГЛАВА 22

Я проснулся, когда на часах не было и пяти утра. Вечно бурлящий, негаснущий Манхэттен притих. Снегопад продолжался. Снежинки кружились в хаотичном танце, то замирая, то неожиданно взмывая вверх с порывами ветра, то стремительно пикируя вниз. Какими разными были каждая из них здесь, на высоте моего окна, и каким одинаковым мокрым пятном становились на пальто раннего прохожего, на грязном асфальте или на горячей решетке знаменитой нью-йоркской вентиляции. Подобно людям: таким смелым, веселым, отчаянным, заносчивым или спесивым в здравии. И таким растерянным, беспомощным, уязвимым в болезни.

Рак, как я сейчас понимаю, — это записка о недолговечности твоего времени. О конечности жизни. О необходимости уходить. Только получив ее, действительно понимаешь, что смертен. В этот момент все остальные мысли, обиды, причуды и чаяния отходят на второй план. Только время, Вечность и ты. И силы, которые так нужны, чтобы пройти выпавшие испытания с высоко поднятой головой. И попробовать победить.

Я часто слышу, как люди желают себе быстрой, мгновенной смерти, полагая ее благом. Однако в ту ночь на Манхэттене я только и мечтал о том, чтобы это мгновение — моя жена впервые за долгое время спокойно спит — длилось вечно.

К семи утра я должен доставить «стекла» (анализы Жанны, клетки с образцами ее опухоли) и переведенные на английский язык выписки в клинику, чтобы врач мог назначить первый прием.

Я оставил ее спать, а сам зашагал по свежему нетоптаному снегу в Sloan Kettering Cancer Center. На обратном пути купил кофе. Вошел в номер. И... включил телефон. Вначале аппарат завис, как будто отказывался верить в то, что такое количество звонков и СМС действительно может быть отправлено всего за сутки.

Большинство сообщений пришло с незнакомых номеров от незнакомых людей: «...скажи, что это неправда...», «...я не верю своим глазам...», «...как это возможно...».

«Кто кого должен успокаивать? — бормотал я себе под нос, перелистывая сообщения. — Почему вы думаете, что у нас есть силы что-то объяснять?» Среди звонивших было и много журналистов, просивших «дать интервью», «разъяснить ситуацию», «успокоить телезрителей». «Мы готовы предоставить вознаграждение», «мы рассчитываем на эксклюзив». Кажется, в каждом из этих людей профессиональное окончательно вытеснило человеческое.

На моей странице в Facebook произошел обвал. Кажется, такого количества сообщений я не получал на день рождения и Новый год, вместе взятые, за всю мою жизнь. Большинство адресантов, тоже преимущественно незнакомых, неистово забрасывали меня рекомендациями и советами разной степени абсурдности: «...оборачивайте голову голубой глиной...», «...помогут абрикосовые косточки...», «... срочно купите экзотический фрукт, доказано, он поможет...» Кем доказано? Что за ересь? И всё это вперемежку с контактами врачующих старцев, колдунов, что лечат по скайпу, и шаманов с Дальнего Востока.

Мало кому известно, каких трудов стоило нам, поверив в возможность спасения, решиться на это путешествие в Нью-Йорк, найти силы для борьбы. Это была соломинка, за которую мы отчаянно хватались, а валящиеся на нас сообщения, несмотря на желание людей нам помочь, как будто нарочно поднимали волны, лишая нас всякого спокойствия. Нам хотелось остаться наедине друг с другом и делать то, во что мы верим. Нам не нужны были советы. Это было ужасно.

Казалось, голова вот-вот лопнет от напряжения. Вдруг сквозь шквал предложений, потоков сочувствия и советов прорвалось сообщение от коллеги с Первого канала: «Срочно перезвони Эрнсту».

Мы разговаривали непривычно долго и откровенно. И этот телефонный разговор не только стал очень важным жизненным уроком для меня, но и навсегда изменил ход истории жизни Жанны.

— Что произошло? — зазвучал мощный, но очень уставший голос на другом конце. Эрнст в Сочи, в чаду подготовки к открытию Олимпиады.

— Полгода назад у Жанны диагностирована опухоль мозга. Она чудом осталась жива. Окончена химио- и лучевая терапия. Мы в Нью-Йорке для участия в trial.

— Что я могу для вас сделать?

Уже тогда мне было известно, что коллеги из «Пусть говорят» готовили к эфиру программу, посвященную Жанне.

— Пожалуйста, остановите выпуск программы. Мы ничего не хотим обсуждать. Нам просто нужно остаться одним, пока Жанна не встанет на ноги. Пожалуйста, пусть нас оставят в покое. Это ведь в ваших силах.

Тогда в ответ я получил, возможно, один из важнейших советов, который еще не один год после будет ободрять меня в минуты отчаяния и растерянности. И без которого всё происходящее далее с Жанной и с нами было бы другим.

— Я могу это сделать. Но запомни: вас уже никогда не оставят в покое. Вас будут преследовать, пока не добьются своего. Не забывай, публичность — это ответственность. Вы в ответе перед теми, кто вас видит, слышит и любит. Так поступают публичные люди во всем мире. И вы не исключение. Поговори с ними, иначе сделаешь только хуже. Лучшей площадки, чем «Пусть говорят», тебе не найти. — И, помолчав, добавил: — Мы объявим о сборе средств на лечение Жанны.

— Но у нас есть деньги.

— Запиши обращение. И если понадоблюсь, я рядом.

Этот разговор стал решающим в моем осознании происходящего. А собранные средства продлят жизнь Жанны на полтора года. За что я бесконечно признателен. Спасибо, Константин Львович. Вы не только однажды круто изменили мою профессиональную жизнь, но навсегда изменили и личную.

Я должен записать видеообращение, которое объяснит, что происходит с Жанной. Но сперва нужно поговорить с ней. Усаживаюсь на край ее кровати и пересказываю всё, что произошло. Она согласна.

Из Москвы звонят представители благотворительного фонда «Русфонд». Именно этот фонд по просьбе Первого канала станет оператором сбора денег на лечение Жанны. «Скажите, сколько вы рассчитываете получить? — спрашивают у меня. — Обозначьте сумму. Всё собранное сверх этого будет потрачено на лечение нуждающихся в этом детей». Я беспомощно молчу. Даже не могу представить, сколько может стоить будущее лечение. Да и какое оно, это будущее? Конкретного плана лечения к тому моменту у нас еще нет: прием у врача в Sloan Kettering назначен только на следующий день. Тогда никто не может предугадать, как повернется судьба и куда в итоге мы отправимся за шансом на спасение. Мы стремимся найти самое адекватное и современное лечение. Одна надежда. Как я могу назвать цену?

— Дмитрий, обозначьте сумму...

— Один миллион долларов.

— Хорошо. И еще раз: всё, что будет собрано сверх этой суммы, поступает в распоряжение «Русфонда».

— Разумеется.

Редакция «Пусть говорят»: «Да, всё по плану, мы запускаем сбор. От тебя ждем видео. С него и начнем».

На секунду представляю себе, что сейчас творится в Останкино, в Москве: предэфирная суета, беготня, лихорадка. Ну что же, кажется, нынешняя ситуация меняет правила этой игры — теперь не я задаю вопросы, а сам буду на них отвечать.

Я сел перед ноутбуком, пытаясь сообразить, что сказать. «Нашей семье выпало непростое испытание. Жанна больна раком...» — помню, произнес я и расплакался. Второй дубль, третий... Через пятнадцать минут всё было готово. До сих пор не могу объяснить самому себе, почему я, совершенно не религиозный и никогда не заигрывающий с религией человек, попросил зрителей «поддержать нас добрым словом и молитвой». Однако кажется, что тогда мне удалось подобрать самые правильные и самые важные слова.

Через несколько часов в Москве «Пусть говорят» выходит в эфир. Мы смотрим программу с Жанной. Собравшиеся в студии гости в большинстве своем не имеют к ней никакого отношения, но это не так важно: у телевидения свои законы. Главное, мы видим, что в режиме реального времени начат сбор средств и сумма пожертвований растет на глазах.

Жанна плачет.

— Неужели они отдают мне свои деньги? Но почему?

— Они любят тебя. И хотят, чтобы ты поправилась. Пожалуйста, не подведи их.

Шестьдесят девять миллионов рублей, собранные Первым каналом меньше чем за три дня, — сумма невероятная. Половина этих денег — на лечение Жанны, другая — детям, подопечным «Русфонда».

Вместе с деньгами приходят удивительные слова поддержки, любви, пожелания выздоровления.

«Вы должны отправить сына в сад, школу, университет, женить, стать бабушкой!.. Не смейте этого не сделать! Вы неповторимая! Я буду молиться за Вас!»

«Прежде всего хочу Вам пожелать победить болезнь, обязательно победить! Не отступать, не сдаваться! Я знаю, о чем говорю. У меня тоже был рак, надеюсь, в прошлом».

«Не считаю себя поклонницей Жанны. Но, в связи с тем, что сейчас стало известно о состоянии здоровья Вашей любимой женщины, я всецело отдаюсь сочувствию Вам и Жанне в этой ситуации. Я буду молиться о Жанне! Пусть всё сложится наилучшим образом!»

Откуда-то из глубинки России мне пересылают фотографию: небольшая сельская церковь, белая с голубой маковкой, перед входом растяжка — «Помолитесь за Жанну». С тех пор всякий раз, когда мысленно возвращаюсь к событиям тех январских дней, я вспоминаю этот призыв. Люди молились за Жанну.

Наша просьба обернулась гигантской волной любви и поддержки. Невиданной по своему размаху. Только тогда нам стало понятно, как важно не только то, что предпринимаешь лично ты, но еще и какую мощную силу имеет мысленная, эмоциональная поддержка многих тысяч, миллионов людей, какой живительной и спасительной может стать коллективная молитва. Как это придает сил. Как внушает уверенность. Буквально — поднимает над обстоятельствами. Жанну поддерживали неистово! Искренне и от всего сердца. Это было подобно волшебству. Невообразимо. Спасибо!

Едва завершился эфир, как от имени Жанны я опубликовал еще одно обращение: «Спасибо! Невозможно было представить, что в такой непростой для меня и моей семьи момент сотни тысяч людей отзовутся и поддержат меня словами, молитвами и деньгами. Я благодарю вас всех за внимание и заботу. Это придает сил. Спасибо за человечность. За то, что в России так много отзывчивых, милосердных, неравнодушных людей».

В тот день мир для нас разделился надвое. На тех, кто утверждал, что болезнь неизлечима. И тех, кто вместе со многими тысячами других людей верил в Жанну и желал ей здоровья.

* * *

После событий, описываемых в этой книге, прошло более двух лет. И сейчас некоторые из них, в частности сбор благотворительных средств, нуждаются в дополнительных пояснениях.

То, как на нашу общую с Жанной беду отозвались люди по всему миру, как поддерживали, сопереживали, в конце концов, жертвовали собственные средства, всегда было для нас двоих священным. Это абсолютное доверие и любовь, которые невозможно предать. И мы следовали этому правилу всегда.

Задумывая эту книгу, я хотел сказать спасибо. По сей день я ощущаю себя обязанным за вашу безграничную доброту к нашей семье.

Летом 2015 года, когда ни врачи, ни здравый смысл уже не оставляли моей жене более нескольких недель жизни и сама Жанна находилась в коме, на счету, где были собраны все благотворительные средства, оставалось более двадцати миллионов рублей. По письменной договоренности между Жанной и «Русфондом», в случае ее кончины все деньги должны были поступить в распоряжение фонда, с тем чтобы помочь нуждающимся тяжелобольным детям.

Весной 2016 года сообщение о том, что эти средства исчезли, повергло меня в состояние шока. К моему глубочайшему разочарованию, все последующие обращения «Русфонда» в следственные органы были тщетны и не помогли вернуть эти жизненно важные деньги, которые не найдены и не возвращены по сей день. По имеющейся у меня информации, отраженной в банковских выписках со счетов Жанны, все благотворительные средства были сняты за несколько дней до ее смерти. Доступ к этому счету имела только сама Жанна и ее мать.

Считаю, что произошедшее — не просто воровство. Твердо зная, что от собранных денег зависит здоровье и жизнь не только Жанны, но и множества детей, воры не просто обчистили счет. Но перешли недопустимую грань, что в своей системе ценностей я приравниваю к убийству. Эти деньги — отражение людской отзывчивости и благородства — могли сделать много добра. Увы, ими решили распорядиться иначе. Убежден, украденное не принесет этим нелюдям счастья. И отмыться от сделанного не удастся никогда.

С сожалением понимаю, что подобные действия могут трагически подорвать доверие, годами выстраиваемое между благотворительными фондами и жертвователями. Тем самым, быть может, навсегда лишив надежды на спасение многих нуждающихся в помощи. Увы, это возможно. Однако изо всех своих скромных сил я хочу заверить каждого из вас, кто читает эти строки: в произошедшем нет вины благотворительной организации «Русфонд», который в своих благих намерениях в адрес Жанны всегда руководствовался единственным — желанием помочь умирающему человеку. И всё, что я могу добавить теперь, обращаясь к вам, — мне очень жаль. И как бы ни было, спасибо за помощь. Спасибо за доверие.

ГЛАВА 23

Мы провели в Нью-Йорке меньше месяца. Отправляясь туда в поисках спасения, мы не предполагали, что это только один из первых шагов, которые приведут нас к заветной цели. Неутомимые борцы за жизнь против смерти, встречающие на своем пути подвижников, помощников, да и просто добрых людей. Нам действительно повезло, их оказалось очень много. Судьба была к нам благосклонна.

Эта история могла бы показаться даже увлекательной, если бы не была такой горькой. Но и в том нескончаемом мороке случалось и забавное, о чем сейчас я вспоминаю светло: как Жанна ехала из аэропорта в багажнике такси; как я кутал ее, когда мы собирались в клинику — она ужасно мерзла, — несколько курток, свитеров, плед, надевал ей на нос огромные темные очки. Право, она была одета как капуста, как хоккеист в полной выкладке, не дай бог что-то забыть. Я и не представлял, как можно натянуть столько всего на одного человека. Случалось, мы выкатывались из гостиницы и дурачились с инвалидной коляской, выписывая загогулины на скользких тротуарах; пили кофе и целовались, даже несмотря на то что сил едва хватало на час «активной» жизни в день. Как же было страшно, но при этом ежесекундно чувствовалось: мы вдвоем.

Я старался не думать о том, что происходит в Москве. Каждый раз, мысленно возвращаясь в ту параллельную реальность, я представлял, как изо дня в день газетенки обсасывают жуткую фотографию из медицинского кабинета аэропорта Шереметьево. Через социальные сети, почту, иногда сообщениями в мой телефон рикошетили публикации, «проливающие свет на истинное состояние Жанны». Откуда-то там появлялись наши прямые цитаты, комментарии, интервью, которых мы не давали. Я ненавидел это. Когда звонил телефон, я невольно сжимался, будто он представлял для меня угрозу. От задорных или, наоборот, притворно сочувствующих голосов репортеров — «Ну, расскажите, какие там у вас делишки» — тошнило. После я просто перестал отвечать, так и не научившись быть безразличным к праздному, наглому, такому несвоевременному любопытству.

Семья Жанны, наоборот, будто обрела второе дыхание, воодушевившись от внимания бульварной прессы. Им казалось, это здорово, что Жанну вновь обсуждают. И не так важно, что предмет обсуждения — ее здоровье, неважно, что на каждой странице ложь. Важно, что Жанна Фриске опять в центре внимания. Ни тогда, ни сейчас мне не была понятна их привычка тащить домой ворох туалетной бумаги, полной сплетен и домыслов. Однако это было и остается их жизнью.

В этом беспрестанном внимании были и очевидные плюсы. Оказавшись на виду публики в совершенно беспомощном состоянии, Жанна, сама не осознавая, сделала, на мой взгляд, нечто чрезвычайно важное: заставила людей говорить о болезни, о которой в России говорить, в общем, не принято. Эта личная трагедия, когда в одночасье красивая, успешная, сексуальная женщина превращается из поп-иконы в пациента, из человека, которым восхищаются, в человека, которого жалеют, — пусть ненадолго, пусть отчасти, но сняла табу со страшной темы рака, превратив его из болезни-проклятия в тяжелую, но все же просто болезнь. История Жанны, вызвав громадную волну любви и сочувствия к ней, помогла также и многим другим в их борьбе.

Всё произошедшее глубоко потрясло Жанну. Почти до самой смерти, пока была в силах, она поддерживала связь с некоторыми из детей, кто, как и она, лечился на средства, собранные зрителями Первого канала. Бывало, что и сами родители этих детей, узнав об источнике финансирования лечения или операции, просили связать с ней, чтобы поблагодарить.

Очень важными для Жанны были и письма поддержки. Почти каждый день я читал их ей вслух. «Спасибо, что вы рассказал о болезни…», «Мы только что прошли через то же…», «Вы должны знать, что вы не одиноки…».

«Уже больше года я живу с диагнозом "рак", о котором не знает даже моя мама. Пока был долгий период трудного лечения, замечательные друзья "вколотили" в меня жажду жизни и неизбежность выздоровления. С этой верой буду жить и буду призывать верить тех, кому выпало нести этот тяжкий "терновый венец болезни"».

«Надо обязательно идти напролом, невзирая ни на что, и верить в победу! На этом пути, как вы уже знаете, будет много всего, но вы, дорогие ребята, обязательно должны прорваться! В это верят столько ваших друзей и просто хороших людей!»

Я видел, как от этих слов светлело лицо Жанны, как она улыбалась в ответ на пожелания, как ей, казалось, даже становилось на какое-то время лучше.

Уверен, что произошедшая с нами история заставила не только нас, но даже самых убежденных реалистов поверить во что-то большее, чем просто сухой язык медицинских цифр и статистики. Поверить в то, что надежда на лучшее, духовная сила, общая молитва действительно имеют огромное значение и мощь.

ГЛАВА 24

Ничего на свете не происходит зря. Помимо всего описанного выше, произошло еще одно, как окажется позже, важное событие. История нашей борьбы с раком перестала быть секретом, а значит, к нам, кроме откровенно бессмысленной, стало стекаться во много крат больше действительно полезной информации касательно диагноза Жанны и, соответственно, больше возможных вариантов того, как ей можно помочь.

Из дневника, зима 2014 года:

«Я был бы рад не делить ни горести, ни радости моей семьи со всем миром — слишком это интимно. С другой стороны, нельзя было представить, как много людей переживает за нас. В Нью-Йорке в супермаркете ко мне подошла незнакомая девушка, положила руку на плечо и пожелала победы.

Верю ли я в чудо? Не знаю. Я хочу, чтобы жене было хорошо: здесь со мной и сыном или вдалеке от нас. Я верю в заботу и любовь. Пожалуй, это всё, что я могу ей дать. Отчетливо понимаю, что в действительности больше от меня ничего не зависит. Мы идем в темноте наудачу».

Поворотным в истории стало сообщение от 20 января 2014 года, которое до сих пор я храню в телефоне: «Дмитрий, здравствуйте. Это Хабенский Костя. Думаю, у меня есть для вас полезная и важная информация. Напишите, пожалуйста, если вам это понадобится. И держитесь».

Константин связывает меня с Инной — мамой его жены Анастасии, жизнь которой трагически оборвал тот же самый рак, что диагностирован Жанне. Константин и Инна. Спасибо, что вы не оставили нас в беде.

По телефону Инна безошибочно перечисляет препараты, которыми пичкают Жанну. Для человека, ставшего свидетелем подобной болезни, достаточно одного взгляда на фотографию. Инна настаивает, чтобы мы связались с госпиталем, в котором проходила лечение ее дочь. Возможно, у Жанны есть шанс на спасение. Есть новый прогрессивный препарат. Только госпиталь этот не в Нью-Йорке, где мы находимся, а на противоположном побережье страны, в Лос-Анджелесе. Cedars-Sinai, «Синайские кедры». «Срочно свяжитесь с Юлией Любимовой, научным сотрудником клиники, она всё объяснит». Я аккуратно заношу в телефонную книжку телефон Юлии и, откровенно говоря, боюсь звонить. Ведь здесь, в Нью-Йорке, куда мы попали с таким трудом, в клинике с мировым именем для нас есть план, в который мы так верим. Стоит ли теперь что-то менять?

Клиника Sloan Kettering, как и многие здания в Нью-Йорке, мало заметна со стороны. Неброская вывеска, отливающая серебром на холодном январском солнце, окна в пол, автоматически раздвигающиеся входные двери. Единственная примета —

кресла-каталки у входа. Каждого гостя приветствует улыбчивый человек. Сложно сказать, кто он: администратор, работник службы информации, быть может, даже бывший пациент или просто портье. Отличает его главное — он встречает каждого улыбкой. Многих помнит по именам, готов любезно подсказать, на какой этаж подняться или во сколько прибудет рейсовый автобус клиники, который развозит всех желающих пациентов по домам. Здороваясь, он произносит очень простые слова: «Вы хорошо выглядите сегодня», «Хорошее утро, не правда ли?», «Рад вас видеть». Они будто выдергивают из оков леденящего страха болезни, из одиночества, из вакуума. Улыбка этого человека будто дает заверение, что всё поправимо, вы пришли по нужному адресу, здесь помогут. Казалось бы, такая мелочь — улыбка и приветливое «здравствуйте».

Нам на пятый этаж. Большой больничный лифт больше напоминает грузовой кузов — настолько он велик и вместителен. Наполовину заполнен пациентами в колясках. Тут, среди «своих», мы точно не белые вороны. На этаже нас встречает деловитая девушка. Улыбается. «Ваше имя? Фамилия доктора? Вот номер вашей очереди. Присядьте где вам будет удобно. Вас вызовут». В очереди нет приоритета — сиди и жди, пока не пригласят. Иногда пять минут, а иногда и час. Помещение для ожидания большое, есть кресла и даже диваны. Некоторые ожидают стоя, многие сидят, кто-то, обессилев, лежит, подложив под голову куртку. Болезнь уравняла всех в правах, уничтожив понятие статуса и даже тяжести состояния. Все равны. И не важно, идешь на поправку или тебя колотит припадок. Все одинаково терпеливо ждут, когда пригласят в кабинет.

Ждем долго. Я даже злюсь: мы летели в Нью-Йорк с ощущением, будто нам посчастливилось стать участниками сверхважного научного эксперимента, революционного прорыва в медицине. Да это же как в первый раз полететь в космос! К нам, как мне казалось, должны относиться как к первооткрывателям, первопроходцам, как к Юрию Гагарину или Нилу Армстронгу. Но нет, к нам не относятся как к Юрию Гагарину — мы сидим в очереди. Время от времени подходят медсестры. «Подождите еще чуть-чуть», «Скоро мы примем и вас». Правда, каждый раз добавляя: «Мы очень рады, что вы здесь, надо сказать, что вам невероятно повезло. Единицы смогут принять участие в этом исследовании».

Жанна очень слаба. Ей тяжело двигаться, тяжело говорить, тяжело сидеть. Она стремительно устает за несколько минут простого ожидания, ее клонит в сон. Это превращает любые наши передвижения в забег на короткие дистанции: перебежка — отдых, перебежка — отдых, перебежка — скорее в кровать и опять отдых. Трезвое участие, возможность поддержать разговор, ответить на вопрос — всего несколько минут. И после опять туман, головная боль, приступ, напоминающий эпилептический припадок, необходимость закрыть глаза — это повседневная жуткая реальность Жанны, и моя обязанность помочь ей справиться с этим. И при этом мне необходимо убедить американских врачей в том, что у нее достаточно сил, чтобы принять участие в экспериментальном лечении, каждый день являться в клинику на осмотр, сдавать анализы, принимать лекарства. В переписке с госпиталем, неистово желая, чтобы ее приняли в trial, мне ничего не оставалось, как просто обманывать их, описывая состояние Жанны куда более оптимистично, чем было на самом деле.

Эта первая встреча с врачом чрезвычайно важна. Нам просто необходимо убедить его взять Жанну в исследование. А значит, никто не должен видеть, как ей плохо. «Дорогая, пожалуйста, потерпи еще немного. Я знаю, как ты устала. Скоро мы вернемся в отель. Пожалуйста. Ты ведь понимаешь, как это важно». И вот мы сидим в очереди и ждем, демонстрируя «отличную» физическую форму: Жанна, распластавшись, спит на диване. А ведь совсем скоро врачи будут просить ее встать, пройти несколько шагов. Господи, как же она это сделает? Но отступать некуда.

Нам выдают ворох брошюр о предстоящем исследовании. Одни более подробно, другие менее описывают исследуемый препарат. Откровенно говоря, понять детали довольно сложно — это скорее общие слова. Перспектива туманная. Но что нам остается? Только соглашаться. И ждать.

Следом нам предлагают ознакомиться и с формой договора, который необходимо подписать. Суть его в том, что мы снимаем с врачей всякую ответственность за происходящее, что понимаем — это эксперимент, лекарство может подействовать, а может и нет, а побочные эффекты малопредсказуемы — все, что угодно, от головной боли до паралича. Увы, клинические исследования — это не просто «полет в космос». Это — еще жуткая бюрократия.

Наконец, врач, возглавляющий клиническое испытание, готов нас принять. Это невысокий и с виду очень уставший мужчина средних лет, небрежно одетый, часто отвлекающийся на звонки и сообщения мобильного телефона. Сдержанно поприветствовав, он довольно безразлично пригласил располагаться. Впрочем, его заверение, что у него для нас ровно столько времени, сколько потребуется, вселяло уверенность. Что же, это хорошо, потому что вопросов у меня было много.

> О чем я спрашивал? О том же, что должен узнать каждый пациент или его близкий родственник в данной ситуации.
>
> - Что это за лекарство?
> - В какой из четырех стадий клинического испытания предлагают участие?
> - Как и насколько долго будет проходить терапия?
> - Как понять, что лекарство действует или не действует?
> - Каковы побочные эффекты?
> - Можно ли рассчитывать на то, что опухоль уменьшится?
> - Сколько будет длиться действие лекарства?
> - Что делать, когда оно окончится?
> - Есть ли возможность получать лечение после окончания исследования?
>
> Кстати, обращаясь ко всем, кто собирается на важный (судьбоносный, определяющий) разговор с врачом, рекомендую: запишите вопросы. Это позволит вам всегда сохранять стройность мысли и ничего не забыть.

Наша первая консультация заняла полтора часа, в течение которых меня не покидало ощущение, будто мы совсем не в лучшей и самой прогрессивной в мире клинике по лечению рака. Казалось, будто разговор идет по-деловому сухо и не о жизни или смерти, а о насморке, а само клиническое исследование мало что значит. Надо отдать доктору должное, он терпеливо ответил на все мои вопросы. При этом не особенно обращая внимания на Жанну. Это чрезвычайно настораживало. Выходит, мои опасения, что она безнадежно слаба, были напрасны.

Напоследок я спросил врача: «Какова статистика выживаемости пациентов, которые уже принимали это лекарство?»

Ответ меня обескуражил: «У нас нет такой статистики».

Получается, единственным выходом было — подписать свое согласие и начать глотать это неизвестное лекарство, не имея данных о его эффективности и даже не представляя последствий. Ужасный риск. Полная неопределенность. Я так боюсь за жену. Но другого выбора, похоже, нет.

В этот момент происходит одна заминка, повлиявшая на весь ход нашей дальнейшей жизни. Жанна должна подписать окончательное согласие на участие в клиническом исследовании. В кабинет входит медсестра. Один из показателей в анализе крови Жанны не соответствует требованиям программы. Ее не могут принять. Нам предлагают подождать несколько дней, прежде чем показатель нормализуется, и уже после, быть может, начать экспериментальное лечение.

Мы выехали из клиники в отель. Был солнечный, теплый, почти весенний день. Я развернул коляску к себе и, глядя в глаза, спросил Жанну: «Любовь, скажи мне, во что ты веришь? Какие твои ощущения? Что нам делать?» Она, по природе своей ужасно доверчивая, наивно ответила: «Я верю в Си-Ти-Оу». И еще раз, уже более твердо: «Верю. Что еще мне остается делать...» Убежден, она толком не знала, что значит эта аббревиатура, в чем новизна этого протокола, не знала, чего ждать. Но просто по-детски в это поверила и была готова отдаться на волю случая. Вновь передо мной была одновременно беззащитная и мужественная Жанна.

Мы купили кофе и отправились в отель, совершенно серьезно настроившись переждать, пока анализы придут в норму, вернуться в Sloan Kettering и начать это испытание экспериментального протокола химиотерапии для онкобольных, страдающих редким видом рака головного мозга.

ГЛАВА 25

Прошло два дня. Я не находил себе места, бесконечно представляя: допустим, анализ крови вновь станет приемлемым для участия в клиническом исследовании. Я привезу Жанну в неприметное здание в нескольких кварталах отсюда, улыбчивый человек поприветствует нас в вестибюле, мы поднимемся на пятый этаж. «Ваше имя? Фамилия доктора? Вот номер вашей очереди. Присядьте где вам будет удобно. Вас вызовут».

А дальше?

Дальше Жанну пригласят в кабинет, коляску перехватит незнакомая медсестра с пластмассовой улыбкой и увезет ее по длинному коридору в один из бесчисленных одинаковых с виду кабинетов. Что с ней будут там делать? Как она сможет постоять за себя? Да и что же это, черт возьми, за добровольный эксперимент над собой без понятных перспектив?

В записной книжке я отыскал телефон Юлии Любимовой, того самого научного сотрудника клиники в Лос-Анджелесе, которую так горячо рекомендовала мне мама Насти Хабенской, и набрал номер.

— Не делайте этого. Это исследование погубит ее.

— Что?

— Препарат, который вам предлагают, известен с восьмидесятых годов прошлого века. Это не революция. За ним нет будущего. И тем более с ним нет будущего у Жанны.

— Все знакомые нам врачи утверждают, что это единственный и последний шанс на выздоровление…

— Ложь. Вам следует прилететь в Лос-Анджелес. Если кто-то и может помочь вам, так это мы.

Всё, что говорила мне Юлия в течение нескольких коротких минут, напрочь перечеркивало все наши усилия и надежды последних нескольких месяцев.

— Я могу выслать вам диски со снимками МРТ, чтобы вы взглянули?

— MRI! Правильно произносить не МРТ, вы в США, а не в России. Здесь говорят MRI.

Я рассвирепел. Она еще будет учить меня говорить по-английски? Речь не о моем произношении, а о здоровье моей жены.

— Спасибо! Хорошего дня.

Возьми себя в руки, говорю я себе. Не время для эмоций. Нужно разобраться, кто этот человек и почему она так уверена в том, что говорит. Что это — реклама очередного госпиталя? Желание заработать на нашей беде? Или научный интерес, который сильнее коммерческого? Звоню снова.

— Юлия, кто вы?

— Я научный сотрудник клиники Cedars-Sinai. Как и клиника, в которую вы обратились в Нью-Йорке, мы проводим клинические испытания. Больше двадцати лет я работаю в паре с нейрохирургом по имени Кейт Блэк и поэтому знаю, о чем говорю. Если вы хотите знать мое мнение, — вас водят за нос. Вы попусту теряете время. Вам нужно прилететь к нам в Лос-Анджелес.

— Это исключено. Вы не представляете, чего нам стоило добраться до восточного побережья. Боюсь, второй перелет Жанна не выдержит.

— Постарайтесь прилететь.

Я звоню врачу, который три дня назад почти утвердил участие Жанны в клиническом испытании. «Сейчас я не могу ответить на ваш звонок, оставьте сообщение после звукового сигнала». Звоню еще и еще. «Прошу, срочно перезвоните, это чрезвычайно важно». Но нет, до нашей судьбы никому нет дела. Рабочий день в клинике оканчивается в 5 часов вечера. Пациенты будут ждать до следующего утра. Не ответит он мне и на следующий день, и через два дня.

Опять говорим с Юлией:

— Вам нужно другое. Вам нужно то, что есть у нас.

— Но что ЭТО?! — кричу я в трубку, не в силах сдержать отчаяние.

Мы только прилетели, уже сняли квартиру рядом с клиникой, рассчитывая на долгое лечение. Жанна верит в этот загадочный препарат СТО. Как возможно опять всё переиграть? Если мы уедем, то пропустим начало клинических испытаний, и тогда об участии в них можно будет забыть, шанс будет упущен. И ради чего? Почему я должен поверить Юлии из телефонной трубки? Ведь даже не понятно, что именно она нам предлагает. Как я объясню это Жанне? И даже если она согласится, как вообще возможно туда долететь? Мы не можем просто «смотаться» туда и обратно — она не в том состоянии. От одной мысли об аэропорте мне становится дурно. И почему, в конце концов, я должен думать об этом один? Нет. Это авантюра. Мы никуда не летим.

Рассылаю письма с просьбой о помощи всем знакомым врачам: «Что вы знаете о Cedars-Sinai?» — «Первый раз слышу... менять Sloan Kettering? Исключено. Это лучшая клиника в мире...», «...думаю, в Нью-Йорке вы в единственно надежных руках...»

Пытаюсь говорить сам с собой, прислушаться к внутреннему голосу. Ты доверяешь врачам, которых вы встретили в Нью-Йорке? Признаться, они не произвели на меня впечатления. Скорее нет. Мне страшно. Ты доверяешь Юлии? Как я могу? Я слышу о ней первый раз в жизни. Лететь на другое побережье, хвататься за призрачный шанс на «очередное передовое лечение»? Мы встретили уже слишком много людей, которые хотели нами манипулировать. Вспомнить медицинских посредников, вспомнить Японию. Им были нужны только деньги. Но Юлия не посредник, а научный сотрудник. Тогда почему все ученые в нашем окружении говорят, что не знакомы с клиникой, в которую нас приглашают, и убеждают нас остаться? Тогда почему так неспокойно? Почему так тяжело отмахнуться от этого предложения? Абсурд.

Инна, мама Насти Хабенской: «Прислушайтесь к Юле. Я знаю, что если кто-то и мог спасти мою дочь, то только госпиталь в Лос-Анджелесе».

Что же мне делать? Что_же_мне_делать?

Вновь Юлия: «Дмитрий, вам крупно повезло. Как говорится, если Магомет не идет к горе, гора идет к Магомету. Доктор Блэк на два дня прилетел в Нью-Йорк, ему вручают “медицинский Оскар”. Вам следует встретиться с ним. Не забудьте снимки. Запишите телефон».

Не задавая лишних вопросов, звоню секретарю. Она называет адрес модной гостиницы в Сохо, где остановился доктор. «Встреча может состояться через час». Разумеется, мы будем. Уже привычно укутываю Жанну слоями одежды, усаживаю ее в коляску, укрываю сверху платком — за окном снегопад. Поскальзываясь на свежем льду, с огромным трудом толкаю непослушную тяжелую коляску к ближайшей дороге и останавливаю такси. Жанна не может ни встать, ни самостоятельно сесть в машину. Поднимаю ее из кресла, еле удерживая на скользком асфальте, и переваливаю в салон, на заднее сиденье. После кое-как впихиваю кресло в багажник и прыгаю в машину. Итак, мы едем на встречу к таинственному доктору!

— Как ты, дорогая?

— Держусь.

— Потерпи, прошу. Просто потерпи. Это важно.

Стемнело. Автомобиль тормозит у входа в отель. Портье услужливо открывает дверь. Изысканный входной ансамбль. Вокруг загадочный полусвет. Музыка. У входа толпятся элегантно и со вкусом одетые люди: господа в непринужденных костюмах, изящные дамы на каблуках, в мехах, наброшенных на вечерние платья. Ухоженные тонкие пальцы держат бокалы ледяного шампанского. Их ждет прекрасный вечер, флирт, загадочные улыбки дам, манеры джентльменов, танцы, непринужденный смех — красивая жизнь ночного Нью-Йорка. Какой сегодня день? Разумеется, пятница.

На глазах удивленной публики вытаскиваю и раскладываю инвалидное кресло. Руки в дорожной грязи, свитер выбивается из-под рукавов куртки, пот заливает глаза. «Любимая, кажется, мы по адресу. Будешь чувствовать себя в своей тарелке. Извини за дресс-код», — подбадриваю я Жанну.

— Добрый вечер, вы в списке?

— Нам назначена встреча.

— Бокал шампанского?

— Спасибо, не сегодня.

Кажется, никогда еще мы не чувствовали себя такими чужими и неуместными на этом празднике жизни. Стащив пуховики, шапки, свитера, мы, нелепые и беззащитные, забились в дальний темный угол (о господи, кажется, мы стоим под картиной Ротко), чтобы не привлекать внимания.

Коротая время, набираю в поисковике телефона «Доктор Кейт Блэк». Почему я не сделал этого раньше? Читаю и холодею. Журнал Esquire включил его в список самых важных людей XXI века. Журнал Time поместил его фото на обложку специального номера под названием «Герои в медицине». 250 нейрохирургических операций в год, 4000 проведенных операций к сорока шести годам. Похоже, этот доктор и правда звезда.

Больше ничего не успеваю узнать. Из открывшихся дверей лифта выходит высокий, ростом под два метра, темнокожий мужчина. На вид ему пятьдесят — пятьдесят пять лет. Плавные, но уверенные движения. Худощавое лицо активно следящего за своей внешностью человека. Он очень спокоен. Ищет глазами.

— Добрый вечер. Доктор Блэк?

— Здравствуйте.

— Спасибо, что согласились с нами встретиться.

Блэк пожимает нам руки. «Вы принесли диски?» Он загружает снимки в лэптоп, рассматривая изображения прямо в холле отеля, не обращая ровно никакого внимания на окружающее веселье.

— Вы слышали что-нибудь об иммунной терапии?

— Едва ли.

— У меня есть для вас предложение. Считаю, это единственное, что может помочь Жанне.

— Что именно?

— Препарат Yervoy. Иммунный модулятор. Дмитрий, я сразу должен вас предупредить: это дорого. Вы готовы?

— Думаю, да.

— Послезавтра я возвращаюсь в Лос-Анджелес, где покажу эти снимки коллегам, после чего свяжусь с вами.

— А как же наш trial в Нью-Йорке?

— Не губите ее.

Прощаясь, я отвел Блэка в сторону.

— Доктор, я должен спросить. Вы говорите об излечении или продлении жизни?

В этот момент мне показалось, будто мы стали с ним одного роста. Глядя мне прямо в глаза, он ответил, не пытаясь играть, не стараясь вводить в заблуждение, ответил твердо, но с нескрываемым сочувствием:

— Продление жизни...

Я не спросил тогда, на сколько этот чудодейственный препарат может продлить жизнь Жанне. Да и сама встреча не предполагала более обстоятельных разговоров. Неожиданно для себя, привыкшего дотошно впиваться в суть каждого медицинского диалога, я почувствовал, что даже этот ответ, который сложно назвать обнадеживающим, почему-то меня удовлетворил. Блэк будто не позволял строить иллюзий и одновременно давал понять — решение есть, Жанне можно помочь. Впервые за долгое время ответ врача меня успокоил.

— Любовь, ты знаешь, я поверил ему.

— ...И я тоже.

— Неужели теперь Лос-Анджелес?

— Почему бы и нет...

ГЛАВА 26

По сей день я получаю сообщения, подобные этому: «Здравствуйте. Моей сестре поставлен диагноз, схожий с диагнозом Жанны. Понимаю, что Вам нелегко возвращаться к этой теме, но я буду признательна, если Вы поделитесь информацией о клинике, в которой проходила лечение ваша жена, а также информацией о лечении, врачах и лекарствах. Нам дорог каждый день. Пожалуйста, ответьте».

Возвращаясь в прошлое, оценивая его без лишних эмоций, я понимаю: всё, что было в наших силах, — не спасти Жанну, не обмануть смерть. Всё, на что мы могли рассчитывать, — немного продлить ей жизнь. Но иногда и это тоже чудо. Именно поэтому, думаю, мне по-прежнему пишут письма и шлют СМС. Я же стараюсь ответить на каждое, потому как слишком отчетливо помню беспомощность, которую ощутил сам: перед глазами белый лист и непонятно, куда бежать, за что хвататься, в конце концов, как дальше жить.

Жизнь и смерть не имеют национальности, но качество жизни и уровень медицины — да, зависят от места и имеют национальные особенности.

Российская медицина чрезвычайно сильна, например, в хирургии. Новейшие технологии — прерогатива Соединенных Штатов. Реабилитация или паллиативный уход качественно поставлены в Израиле, Швейцарии, Италии. Да и вообще не думаю, что при выборе между «достойной смертью на родине» и «попыткой продлить жизнь где бы то ни было» такое понятие, как патриотизм, должно играть хоть какую-то роль.

После встречи с доктором Блэком в вестибюле фешенебельной нью-йоркской гостиницы прошло два дня. Пытаюсь в уме набросать план нашей дальнейшей жизни с учетом новых обстоятельств. Что же в итоге предложил нам доктор Блэк? Нет, он не обещал никаких чудес. О выздоровлении речи не идет.

— Доктор, я должен спросить. Вы говорите об излечении или продлении жизни?

— О продлении жизни...

А продлить на сколько? На месяц? На год? В нашем случае и это немало, хотя рассчитываем мы на большее. А если на два года? На три?.. Это ведь уже совсем другое. Победить опухоль невозможно. Единственное, на что остается надеяться, что ее дальнейший рост удастся контролировать и сдерживать.

С медицинской оптимистичной точки зрения, Жанна — кандидат на то, чтобы быть «статистическим выбросом», «погрешностью». Кажется, кто, как не она, может выйти за пределы одного-двух лет жизни с момента постановки диагноза. На руках такие козыри, как здоровый образ жизни, в прошлом крепкое здоровье, небольшой возраст, высокотехнологичное лечение. По идее, это должно вывести ее за пределы статистики, сделать исключением, а не правилом. Это — плюс на весы надежды.

Теперь о весах отчаяния:

• опухоль у Жанны обнаружена очень поздно (чем раньше, тем больше шансов продлить жизнь);

• операция невозможна (если операция проведена качественно и вовремя, то при некоторых разновидностях опухолей заболевание может не иметь никаких последствий);

• злокачественность (доброкачественные опухоли могут вообще не беспокоить и не вредить здоровью);

• высокая агрессивность опухоли, которая растет, сопротивляется лечению, прорастает в кровеносные сосуды.

При всех этих факторах — прогноз для Жанны неоптимистичный.

Но. Меняются обстоятельства — меняется и кривая выживаемости.

Оказавшись перед выбором, какой американский город все-таки выбрать для лечения, прокручиваю в голове все известные мне примеры раковых побед и поражений. Я вспоминаю историю нашего доброго знакомого из Майами доктора Султана, одному из пациентов которого с диагнозом «глиобластома» удалось выскочить за рамки статистики и прожить 12 лет вместо положенных 10 месяцев. Что это? Чудо или действительные возможности организма? Вспоминаю широко известного французско-американского ученого по имени Давид Серван-Шрейбер, который пошел дальше — прожил со злокачественной опухолью мозга девятнадцать лет, за которые написал несколько книг о борьбе с раком, ставших всемирными бестселлерами, создал антираковую диету, сделал популярным во всем мире антираковый образ жизни.

Но еще я вспоминаю историю Анастасии, жены Константина Хабенского. Ее диагноз и история болезни так похожи на наши. Эта история не прибавляет мне уверенности. Сама собой всплывает в памяти так решительно произнесенная мной фраза в адрес немецких врачей: «Думаю, мы сможем вас удивить». А чем удивить? Зачем я это сказал?

Звонок из Лос-Анджелеса. Звонит лично Блэк и подтверждает свою готовность принять Жанну на лечение. Это иммунотерапия. Потребуется всего 4 инъекции с интервалом в три недели. После доктор переводит звонок на ассистента. Та будничным тоном сообщает мне стоимость каждой инъекции. 125 тысяч долларов. То есть курс лечения обойдется в полмиллиона. Полмиллиона долларов. Не считая перелета, проживания, стоимости необходимых анализов и сопутствующих препаратов. Цифра не укладывается у меня в голове. Прошу время обдумать и начинаю переворачивать все возможные медицинские справочники в поисках ответа на вопрос, что это за золотой чудо-препарат нам предлагают.

Объясняя простым языком, можно смело сказать, что на тот момент иммунная терапия и назначенное нам лекарство — один из самых перспективных методов по борьбе с раком. PD-I ингибиторы, к которым и относится предложенный нам препарат (моноклональное антитело Yevroy), по мнению многих ученых, пожалуй, самое яркое, что происходит в клинической онкологии последнего времени. Он действительно страшно дорогой, но не для производства, а из-за цены, установленной производителем, в которую, как это обычно бывает, входят затраты на разработку и исследования. С точки зрения пациента, Yevroy — вакцина от рака, иммунный препарат, который мобилизует собственные силы организма на борьбу, блокируя доступ к опухоли определенного вида белка, являющегося ее основным питательным веществом, не позволяя ей развиваться и таким образом держа под контролем. В России таких собственных технологий нет, иностранные едва используются, а в 2013 году их, кажется, даже не пробовали испытывать. Идея применять PD-I ингибиторы для борьбы против рака появилась около 15 лет назад и впервые была испробована в 2008-м в США и Израиле. Изначально лекарство против рака кожи (теперь это стандартная терапия), в 2012-м оно впервые успешно опробовано для лечения опухоли мозга.

В общем, для нас это действительно шанс, сравнимый с выходом в открытый космос. И сопоставимый по цене.

Должен сказать, что при всем ужасе и парадоксальности закона, согласно которому всё самое лучшее и современное для лечения рака стоит огромных денег и совершенно недоступно большинству нуждающихся, механизм ценообразования понятен: новые технологии — прибыльный бизнес. Компания, выкупившая «молекулу» и сделавшая из нее лекарство, разумеется, намерена заработать. До выхода препарата в массовую продажу он находится в стадии клинического испытания и будет доступен только избранным участникам trial бесплатно и за большие деньги тем немногим, кто готов на свой страх и риск заплатить шестизначную цифру за новейший препарат, которого пока нет на рынке и клиническая эффективность которого официально не подтверждена.

Коллега доктора Блэка поясняет: на сегодняшний день это единственное в своем роде лекарство, при использовании которого в лечении глиобластомы 3–4-й стадии наблюдается положительная динамика. У первых пациентов с опухолью мозга, которые принимали участие в исследованиях, пока очень хорошие результаты. По почте ассистент Блэка присылает мне воодушевляющие картинки: так раковая опухоль выглядела до приема препарата и так выглядит после — уменьшилась вдвое. Разумеется, лечение в Лос-Анджелесе — это тоже trial, исследование. И это значит, что никакой официальной статистики, как действует лекарство, пока не существует.

Немаловажен еще один аргумент. Химиотерапия убивает иммунитет и организм в целом. Но глиобластома растет в два раза быстрее, чем функционирует организм человека, и поэтому после курса химии пациент наполовину мертв, но все-таки еще жив. Иммунотерапия, наоборот, стимулирует работу иммунной системы, и это прямо противоположное действие химии, которая, кстати сказать, ждет нас в нью-йоркском исследовании. В общем, все карты на столе.

Советоваться, как и прежде, не с кем. Мы сидим в приемной Sloan Kettering в Нью-Йорке. Приближается время X, когда, собственно, мы должны принять решение: здесь или там.

Родители Жанны по-прежнему остаются безучастными. Они почти не звонят нам. Звоню ее отцу сам. Я не могу и не должен принимать подобные решения в одиночку. Выслушиваю бессвязный монолог о том, что на днях он намеревается передать Жанне со стюардессой заряженные экстрасенсом капли в нос, которые в считаные дни расправятся с опухолью. Звучит чудовищно. Но потрясает другое. Описывая действие этого «лекарства», он вновь и вновь повторяет, что капли активизируют работу иммунной системы, заставят организм самостоятельно бороться с болезнью. Минуточку, ведь по сути, отбросив подробности, — это то же, что предлагает доктор Блэк. Понятно, у одного — вакцина от рака ценой 125 тысяч долларов, а у другого — бесплатная заговоренная вода, но идея-то одна. Я не могу поверить собственным ушам. Выходит, мы вдвоем пришли к одному и тому же заключению, идя разными путями и веря в разное: один в науку, другой в потустороннее. Неужели такое совпадение возможно?

— Послушайте, это ваша дочь. Принимайте решение. Остальное я организую. Выбирайте, что считаете правильным. Химиотерапия, без сомнений, убьет ее иммунитет и искалечит организм. Перспективы туманны. Непредсказуемо также, подействует ли иммунная стимуляция, но она хотя бы не настолько токсична и задействует резервы организма, вместо того чтобы убивать его. Решайте.

— Иммунная стимуляция.

Наши мнения совпадают.

В эту минуту получаю письмо из Москвы от нашего доброго друга доктора К. Он также считает, что нам следует выбрать Лос-Анджелес.

Через несколько минут мы останавливаем работу в Sloan Kettering и отказываемся от участия в их клиническом исследовании. Поверить в это еще несколько недель назад было бы просто невозможно.

ГЛАВА 27

Тогда, в начале 2014 года, перед тем как ответить «Русфонду», я советовался с менеджером Жанны.

— Послушай, они хотят, чтобы я назвал сумму, которая необходима для лечения. Остальное поступает в распоряжение фонда. Я даже не представляю, что мне им ответить.

— Надо подумать.

— Сколько это может быть? Сто? Двести тысяч долларов?

— Один миллион.

— Ты шутишь?!

— Нет. Попробуй. Ты все равно ничего не теряешь.

Сложно было представить, что вообще возможно собрать такую сумму.

— Хорошо, пусть будет так.

Через несколько дней после окончания эфира «Пусть говорят» на счету благотворительного фонда собрано более двух миллионов долларов. Я до сих пор не могу в это поверить и осознать. Вспоминаю, как хотел вообще отказаться от сбора средств. От одной этой мысли сейчас меня бросает в холодный пот. Ведь в этом случае судьба Жанны была бы предрешена. Но кто и когда умел загадывать наперед?

Февраль 2014 года. Следующий пункт нашего путешествия длиной уже почти в год — Лос-Анджелес. Мы летим за спасительным лечением доктора Блэка. Только благодаря доброте и состраданию людей Жанна сможет получить самое современное лечение, недоступное большинству пациентов мира.

Ну что же, дело за малым — вновь организовать переезд, теперь на другое побережье США, найти жилье, сделать это максимально быстро и безболезненно для Жанны. Как она сможет это выдержать? Ее силы тают на глазах.

Неожиданно подруга Жанны из группы «Блестящие» Ольга Орлова принимает инициативу на себя. «Мой друг А. должен на днях лететь из Москвы в Лос-Анджелес и предлагает свою помощь. Он специально приземлится в Нью-Йорке, чтобы подобрать вас. Полетите вместе с ним». Ого! Конечно, мы согласны. Экстренно собираем вещи. Остается только позаботиться о квартире или о доме. Начинаю обзванивать риелторов. Неожиданно вновь Оля:

— Не знаю, как сказать. В общем, кажется, ты можешь больше не искать дом. А. уже обо всем позаботился.

Что? Это новогодняя сказка или розыгрыш?

— Ты уверена?

— Да. Всё будет в порядке.

Так, совершенно неожиданно, словно по мановению волшебной палочки, всего за один день решены все наши бытовые нужды. И вот уже такси везет нас в порт частной авиации в Нью-Йорке и останавливается прямо у трапа самолета. Никакого А. на борту нет — мы летим одни. Невероятно. Ровно в тот момент, когда, казалось, силы наши на пределе и нет мочи вновь, в который раз, срываться с места в поисках заветного спасения, нежданно приходит помощь — такая своевременная, такая необходимая. Наша удивительная история пополняется еще одним чудом, которое невозможно объяснить.

Ледяной воздух восточного побережья сменяется свежим и нежным ночным бризом западного. Автомобиль скользит по пустынным дорогам, увлекая нас все выше и выше на холмы города, где сбываются мечты. Мелькают знакомые из кинофильмов названия улиц. Бульвар Сансет. Беверли-Хиллс. Малхолланд-драйв. Господи, куда же мы едем, на виллу кинопродюсера? Мои догадки недалеки от истины. Прибыли. И кажется, будто мы в раю.

Телефонный звонок.

— С приездом. Дом в вашем распоряжении. Не нужно благодарить. Мы просто хотим, чтобы… Мы просто хотим вам помочь.

— Спасибо. Огромное спасибо. Это настолько неожиданно. Но…

— …никаких «но». Отдыхайте, у вас впереди много дел.

Разумеется, позже мы познакомимся с нашим благодетелем. Несколько лет назад Лос-Анджелес стал судьбоносным городом и для его семьи. Когда его красавице жене был диагностирован рак, справиться с ним смогли именно здесь. С тех пор у семьи А. осталась нежная привязанность к этому месту. И, помогая, быть может, они надеялись, что часть везения, сопутствовавшего им в лечении, перепадет и нам.

А. окружил нас невиданной заботой — дом, автомобиль, водитель, — сняв с нас все бытовые хлопоты. И, главное — одарил нас вниманием и поддержкой. Спасибо!

Теперь единственное, на чем мы должны сконцентрироваться, — это лечение. На следующий день мы отправляемся на прием в клинику Cedars-Sinai, где вновь встречаемся с доктором Кейтом Блэком и нашим будущим лечащим врачом, кстати сказать, тем же, что когда-то лечил Анастасию Хабенскую, доктором Джереми Рудником.

Жанна чувствует себя плохо. Ей с трудом удается сидеть во время приема, она изнурена болезнью и чрезвычайно слаба. Умоляю их сделать всё для того, чтобы вернуть Жанну к жизни, повысить качество, насколько это возможно. Врачи единодушны. Иммунная терапия — единственное, что может значительно облегчить и даже улучшить ее состояние. Потребуется несколько дней, чтобы «снять» Жанну с гормональных препаратов и подготовить к началу лечения. А дальше всё очень просто. Четыре инъекции один раз в три недели, наблюдение, регулярное МРТ и анализ крови, работа с физиотерапевтом. По словам врачей, препарат может не только уменьшить отек головного мозга, остановить рост опухоли, но, возможно, и уменьшить ее. А это значит, что теоретически есть все шансы вернуться к относительно полноценной жизни. Будет слишком оптимистично говорить о возвращении на сцену — отказ от инвалидного кресла уже был бы для нас большой победой.

Ласковые солнечные лучи проникают в светлый и аккуратный приемный кабинет, в котором чисто и нет больничного запаха. Он скорее похож на уютный творческий офис, чем на медицинское помещение. И здесь совсем не страшно. Даже приятно находиться. Врачи улыбаются и деликатно, терпеливо отвечают на все наши вопросы. Не гарантируя, но ободряя. Это расслабляет. После страшного напряжения, когда в течение долгих месяцев нервы натянуты тонкой струной, когда выдержка на пределе, кажется, что это именно то, что нам нужно: ласковая забота, солнечный свет и надежда. Между тем — надежда недешевая.

Cedars-Sinai — дорогая клиника. Пожалуй, самая дорогая клиника Лос-Анджелеса. Некоторые корпуса этого большого госпитального комплекса построены на пожертвования и носят имена благотворителей, многие из которых в прошлом его пациенты. Вот отделение, построенное на средства известного производителя косметики Макса Фактора. Фасад другого украшен именем режиссера Стивена Спилберга. Голливуд — место, где сбываются мечты, даже если эта мечта — здоровье. Здесь не только умеют быть благодарны за ее исполнение, но и дают другим шанс ее исполнить.

Нерешенным остается единственный и главный вопрос — цена лечения. Стоимость в 500 000 долларов за четыре инъекции даже по меркам Голливуда кажется заоблачной. Консультируясь с международными специалистами «Русфонда», я быстро понимаю — нам не просто продают лекарство. Госпиталь зарабатывает на его перепродаже. Рыночная цена гораздо ниже. А то, что сверх, — за сервис.

Логика ценообразования проста: FDA (лицензионное агентство, контролирующее коммерческие продажи лекарств и продуктов в Америке) на тот момент еще не разрешила официально использовать препарат Yevroy для лечения рака мозга. Однако этот же препарат является стандартом лечения меланомы. Это значит, что для пациентов с раком мозга, которые являются пока только участниками эксперимента, проверяя на себе эффективность препарата в данном диагнозе, цена выше, чем для пациентов с раком кожи, для которых подобное исследование уже состоялось и официально подтверждено. Это коммерческая медицина.

Американцев можно не любить за привычку всё мерить деньгами. Но в то же время нельзя отказать им в умении сопереживать и сочувствовать. «Послушайте, это очень дорого для нас. Мы не можем позволить себе такие траты. Как поступим?» Подумав, наш лечащий врач ответил: «Вы правы, действительно лечиться в Cedars-Sinai крайне дорого. Мы можем сделать следующее. Жанна будет получать положенные инъекции в другой клинике поблизости. Я же останусь вашим лечащим врачом. Наблюдаться и сдавать анализы вы будете здесь, у меня. Идет?»

Таким образом нам удалось сэкономить 250 000 долларов, просто перейдя через дорогу. Без комментариев.

Специфика препарата для Жанны заключается в том, что он имеет накопительный эффект и его активное действие начинается только спустя месяцы после окончания лечения. Это означает, что вряд ли мы увидим серьезные изменения в ближайшее время. Всё, что нам остается, — это запастись терпением и верой в успех.

ГЛАВА 28

Лос-Анджелес — город солнца, а в марте-апреле, наверное, город самого комфортного климата: нежного тепла днем и ласковой прохлады вечером. Это город, подаривший нам долгожданное успокоение, возможность собраться с мыслями, оглянуться назад, наслаждаться единственно важным — сегодняшним днем — и постараться не думать о будущем.

Но меня беспокоило вот что. Почему за прошедшие месяцы наших путешествий и поисков спасения ни один врач ни в одной стране мира не сказал нам о том лечении, которое предложил Блэк? Со мной говорили обо всем: как я хочу, чтобы Жанна умерла; что она безнадежна; что нет лечения и даже надежды на улучшение, вместо того чтобы дать хотя бы зацепку, возможность бороться. Неужели об иммунной терапии не знали в Германии? Знали, но посчитали нерациональным предлагать? Неужели об этом хотя бы не слышали в России? Слышали, но промолчали? Слышали, но с молчаливого согласия решили просто дать умереть? Неужели доктора в Японии, Израиле, Италии, Швейцарии, Австрии, да куда я только не писал и не ездил, настолько далеки от науки или очерствели, что не сказали, не намекнули, не направили нас на поиски этой терапии? Ответа на этот вопрос у меня, к сожалению, нет до сих пор. А тогда была только злость. «Вот увидите. Мы докажем каждому из вас, что нас рано списывать со счетов. Вы говорили "поезжайте ближе к дому", предсказывая скорую кончину? "Не больше двух лет", "можем обеспечить уход", "не тратьте силы и деньги"?! Ну уж нет. Вы говорили "астроцитома третьей степени — это билет в один конец". Помните? Смотрите, смотрите на нас!..»

Опробовав новое лечение, Жанна очень медленно, но приходит в себя, по крупице наращивая свое присутствие в полноценной жизни. Наши попытки снова жить были скромными, но усердными. По чуть-чуть, шаг за шагом. Спустя, может быть, месяц после начала терапии нам уже удается пройтись по магазинам или поужинать в ресторане. Пусть это недолго, всего полчаса-час, но все же! Еще месяц, и все чаще инвалидное кресло остается у входа в магазин и Жанна идет сама, незаметно опершись на мою руку. Еще месяц и — в это сложно поверить — она спустилась в бассейн! Вечерами мы разжигаем камин на террасе, пьем вино, развалившись на мягких диванах, смеемся и смотрим на звездное небо Калифорнии. О господи, я снова могу обнять ее! Не лежащую в постели, не сидящую в кресле, а стоящую (!) рядом со мной. Да, Жанна изменилась в болезни и внешне, и тактильно, и даже ментально. Но это по-прежнему она — моя Жанна, и другой мне не нужно. Это ли не счастье?

И, главное, мы наконец втроем под одной крышей с сыном. Так, как всегда мечтали. Наконец мы можем быть нормальными родителями: играть, кормить ребенка, гулять с ним, читать ему перед сном, наблюдать за его уверенными попытками сделать первые шаги. Такой возможности мы были лишены почти год. А теперь мы вместе. Мы просто вновь держимся втроем за руки.

Такие моменты выстраданного счастья и наивной детской веры в то, что всё будет хорошо, сменяются паническим страхом, что всё напрасно. Мы очень воодушевлены. И при этом нам очень страшно, потому что еще совсем недавно мы стояли на краю гибели. Мы были там, заглянули в лицо смерти. Тогда она отвернулась, а нам удалось укрыться от нее, затаиться и после выскользнуть из сгущающейся тьмы. Но однажды она может вернуться. И что тогда?

Я подолгу разговариваю с нашим лечащим врачом Джереми. И он терпеливо освежает мне память: «Вспомни, как совсем недавно ты вкатил в эту палату инвалидное кресло и не без труда помог жене пересесть во врачебное. Сейчас Жанна не просто встает, она снова научилась приседать, снова может ходить!» Он прав.

Незадолго до окончания терапии, в мае, Джереми пригласил на плановый осмотр доктора Блэка. И Жанна, та самая Жанна, которую, почти обездвиженную, я показал ему в холле нью-йоркской гостиницы, сейчас с нескрываемым удовольствием вновь и вновь демонстрирует всем желающим, как держит равновесие, стоя на одной ноге, наклонившись вперед и выпрямив другую ногу, расставив широко руки в ласточке. Похоже, наши спасители и сами не ожидали такого успеха — так восторженно они аплодируют, улюлюкают, присвистывают. «Wow! Это невообразимо!» Я аплодирую с ними. А на глазах у меня слезы. Контраст был слишком очевидным. Значит, всё не напрасно: выбранное лечение не только работает, но и показывает феноменальный результат.

Прежде всего следовало совершенно точно понять, что значит «лекарство действует»? Джереми:

— Это значит, что опухоль не растет. Пока не уменьшается, да. Но и не растет!

— Можно ли считать, что это победа?

— Думаю, да.

Все врачи едины во мнении: опухоль еще жива, но не прогрессирует. До поры замерла. Дальше будет видно. Но сколько? Сколько времени у нас есть? Трудно сказать. Нужно пристально наблюдать за состоянием Жанны. В моем календаре среди вороха накопившихся важных дел уже отмечены даты планового МРТ каждые три недели. Теперь вся наша жизнь будет, как маятник, качаться от МРТ к МРТ. От надежды к отчаянию.

Контрольные анализы мы обязаны пересылать в Лос-Анджелес. И если врачи заметят тревожные симптомы, вновь придется принимать решение, как лечиться дальше: сделать дополнительные инъекции (что происходит, но крайне редко) или применить иное, быть может, более совершенное лекарство, если оно вообще существует. Всё, что я знаю, полученная вакцина — самое новое из того, что уже опробовано на людях.

— Есть ли у нас план Б на случай, если лекарство перестанет действовать? Может, сразу попробовать что-то еще?

— Послушай, это не имеет никакого смысла: мы не можем «влить» в Жанну всё, что у нас есть. Так нельзя. Летите домой и надейтесь на лучшее. А если возникнут проблемы, тогда мы решим, что нам предпринять.

Сердечно простившись с врачами, Жанна гордо открыла дверь кабинета и вышла из госпиталя. Открыла дверь. И вышла. Сама. Я смотрел ей вслед. И шептал про себя: «Как я счастлив, как я счастлив. Мы победили...» Пришла пора жить!

Самолет. Я смотрю на свою девочку и вижу, как она изменилась, насколько похорошела. Впереди лето, которое всегда было ей так к лицу. Еще одно наше лето. Мы проведем его в Прибалтике — Жанне там всегда нравилось.

ГЛАВА 29

Я вижу безо всяких исследований — ко мне возвращается моя любимая. Жанна оживает на глазах.

Исчезли приступы головной боли, судороги, панические атаки, апатия, вялость. Налицо колоссальный прогресс: утром почти прежней легкой походкой она приходит на кухню. Чаще я готовлю для нее сам. Но она все же не без удовольствия угрожает, что через пару дней приготовит завтрак на всю семью. Не могу поверить: полгода назад она с трудом открывала глаза… А теперь — завтрак.

Для нас наступил некий период стабильности, который хотя бы на ближайшие недели дает определенность. Это успокаивает, позволяет немного расслабиться и вернуться к жизни, насколько это возможно.

Лето начиналось с удовлетворительных анализов. Об избавлении от опухоли речи не шло, но отек головного мозга уменьшился, жидкость перестала давить на зоны мозга, контролирующие в том числе моторику и зрение. Сама опухоль, подвергшись атаке химиотерапии, облучения, иммунной терапии, остановилась в росте и даже уменьшилась в размерах, что давало нам основания рассчитывать на ее дальнейший регресс. Всё это означало, что для Жанны пришло время реабилитации, восстановления утраченных сил. И если чудодейственная нано-вакцина только начинала свое замедленное действие, а сопутствующие медикаменты поддерживали необходимые функции организма и базовое лечение, то о физическом и духовном состоянии Жанны нам следовало позаботиться самостоятельно.

О том, что Жанна хочет как можно скорее вернуться к активной и по возможности качественной жизни, говорила ее готовность посвятить себя этому без остатка. Как раньше главным ее хобби была забота о себе, так и сейчас она с рвением принялась за восстановление. Прогресс в состоянии Жанны был очевиден всем окружающим. Какое счастье было наблюдать за ней, когда и близкие, и посторонние, не сговариваясь, делали ей комплименты. Действительно, Жанна заметно похудела, избавившись от зависимости от гормоносодержащих препаратов. И что было особенно важным для нас — обрела долгожданную самостоятельность. Сложно представить, какое мучение некогда активному, здоровому человеку оказаться в инвалидном кресле и какой триумф вновь встать на ноги и самостоятельно выбирать маршруты движения.

Чтобы восстановиться после долгого лечения, Жанна применяла множество разных методов: физиотерапия, лечебная физкультура, йога, медитации, диета. Оговорюсь: эти программы были составлены профессионалами индивидуально, однако подобные рекомендации вы без труда найдете в Интернете. Поэтому прошу относиться к этому скорее как к небесполезным советам, нежели как к прямому руководству к действию. Впрочем, в наборе этих методик, в первую очередь в противораковой диете, встречается много полезного и для здоровых людей.

Физиотерапия. Требует терпения и труда как от пациента, так и от тех, кто помогает ему. В те ужасающие дни, когда Жанна едва ли могла перевернуться с одного бока на другой без посторонней помощи, главной задачей физиотерапевта было разрабатывать мышцы, стремительно теряющие тонус, аккуратно стимулировать кровообращение, помня при этом, что активный массаж может усугубить состояние. Необходимый набор упражнений был весьма прост и напоминал те, которые рекомендуют выполнять пассажирам самолета во время долгого перелета: разминка суставов ступней, коленей, запястий и локтевых суставов.

Когда Жанна поднялась из кресла и начала понемногу ходить, актуальными стали упражнения на восстановление равновесия, шаги вперед, назад и в сторону. Поначалу и они давались ей с трудом. Но движение, как известно, жизнь. И Жанна двигалась.

Спустя несколько месяцев после введения иммуностимулирующей вакцины ее состояние позволило начать более серьезные тренировки, которые включали в себя разные виды приседаний, работу с утяжелителями для рук и ног, ходьбу на степ-тренажере, упражнения с эластичной лентой и даже щадящий аквааэробный комплекс.

Сами по себе упражнения едва ли представляют собой нечто особенное, они общедоступны и хорошо известны. Уверен, любой физиотерапевт или реабилитолог составит для вас или вашего близкого индивидуальную программу занятий с учетом конкретного диагноза.

Работая с Жанной, тренер каждый раз обращал ее и наше внимание на то, что подобные упражнения не просто укрепляют мышцы, восстанавливают баланс, силу и гибкость. Для пациентов с опухолью головного мозга важным и зачастую жизненно необходимым является восстановление нарушенных нейронных связей. Считается, что многие участки мозга взаимозаменяемы, то есть при повреждении одного из них из-за травмы, хирургического вмешательства или отека его функции могут принять на себя соседние, здоровые участки мозга, как будто строя объездную дорогу, огибающую разрушенный мост. А это требует регулярной и интенсивной работы.

Чтобы восстановить утраченную гибкость, два-три раза в неделю Жанна практиковала занятия йогой. Еще до болезни она достигла в этом значительных успехов. Теперь пришлось вернуться к базовым упражнениям, не требующим специальных навыков и, что особенно важно при опухоли головного мозга, не предполагающим поз вниз головой: попеременные наклоны из положения сидя к правой и левой ноге, растяжка мышц рук и ног тренером, упражнения на фитболе, удержание равновесия с вытянутыми руками и ногами, даже простые перекатывания с одного бока на другой с поджатыми коленями и базовые упражнения для укрепления мышц тела.

Немаловажную роль в восстановлении в целом и после тренировок в частности играл массаж. Особенно хочу обратить внимание на то, что проводился специальный массаж, состоящий из поглаживающих и щадящих разминающих движений, во избежание осложнений, вызванных увеличением кровяного давления. Пусть вас проконсультирует специалист.

Питание. Оно должно быть особым. Специальные диеты широко известны и легкодоступны. Библией для каждого, кто так или иначе задавался вопросами правильного питания в борьбе с раком или его профилактики, является уже упоминавшаяся здесь книга «Антирак» ученого и пациента с мировым именем Давида Серван-Шрейбера.

Диета Жанны была основана на общепринятых постулатах антиракового питания:

- снижение или полное исключение потребления сахара — главного источника питания опухоли;
- исключение из рациона гормоносодержащих продуктов и ограничение белков животного происхождения;
- регулировка рациона с учетом ежедневных потребностей организма;
- потребление продуктов, обладающих противовоспалительным эффектом.

Вот общие рекомендации, которым мы следовали:

- 2—3 порции фруктов и ягод в день. Порция — объем, помещающийся в одной ладони

Особо полезными считаются яблоки, черника, ежевика, клюква, лимон, земляника, малина.

- 3—5 порций овощей, среди которых выделяют томаты, брокколи, брюссельскую капусту, белокочанную, кабачки, редис, шпинат.
- Потребление углеводов необходимо было снизить до 200 граммов в день, контролируя или исключив потребление таких высокоуглеводосодержащих продуктов, как белый хлеб, крупы, пирожные, печенье, вафли, фруктовые соки, сухофрукты, сладкая газированная вода, конфеты, чипсы, сахар, мед, белая мука, макароны, картофель, белый и темный рис (это очень большой список).
- До двух раз в неделю ограничили употребление мяса. Предпочтительны индейка и ягнятина. Также при возможности необходимо было следить за происхождением мяса. Употреблять только «органическое» — животных, выращенных в естественных условиях на травяных кормах, а не зерновых. Разрешалось умеренно употреблять говядину, свинину, оленину, лосятину, мясо страуса. Запрещено жарить или коптить, только гриль.
- Из рыбы предпочтение отдавалось дикой и глубоководной с низким содержанием ртути: сардинам, сельди, треске, тунцу, тихоокеанскому лососю. Не рекомендовалось есть мясо акулы, атлантического лосося, рыбу-меч, королевскую макрель. Исключались и суши.

• Ежедневно 1—2 порции орехов. И только нерафинированное оливковое или кокосовое масло.

Эти базовые рекомендации подробно описаны в специальной литературе:

• Prof. Mustafa Djamgoz & Prof. Jane Plant, «Beat cancer»;

• Richard Beliveau, Ph.D., & Denis Gingras, Ph.D., «Cooking with foods that fight cancer».

Индивидуальная диета часто составляется на основе анализа крови.

Для того чтобы поддержать естественную работу организма, в частности функции печени, почек, надпочечников, страдающих от химиотерапии и приема гормональных препаратов, вдобавок к диете пациентам рекомендуют биологически активные добавки, в состав которых входят витамины, минеральные вещества, про- и пребиотики, антиоксиданты. Подбор добавок строго индивидуален и должен осуществляться специалистом. Мы пользовались услугами Nutritional Solutions (http://www.nutritional-solutions.net). Чаще всего их прием не противоречит приему необходимых лекарств. Но все же важно проконсультироваться с вашим лечащим врачом.

Отдельной главой борьбы с раком является духовная практика, порой не менее важная, чем медицинская. Не являясь специалистом в этом, не стану давать какие-либо рекомендации. Однако хочу поделиться нашим опытом, который, возможно, будет полезен кому-то еще.

Весть о болезни Жанны разлетелась по всему миру. И порой предложения поддержки приходили из совершенно неожиданных мест. Так, узнав о нашей беде, на связь вышел профессор кафедры индо-тибетского буддизма в Колумбийском университете Роберт Турман, отец известной актрисы. В основе рекомендаций для Жанны лежали тибетские практики, которые могли бы помочь ей духовно осознать, принять и если не побороть болезнь, то облегчить ее течение.

Жанна была внутренне богатым, тонко чувствующим человеком. И, стремясь к восстановлению, часто практиковала так называемые «визуализации». Это условный сеанс внутреннего общения с самим собой, работа с сознанием и подсознанием. Например, одно из упражнений заключалось в том, чтобы, сосредоточившись на внутренних ощущениях, представлять себе, что болезнь ушла, здоровье восстановилось. Жанна представляла, как совершает пробежку вдоль океана или самостоятельно играет с ребенком, визуализировала это. Подобные упражнения при определенной регулярности повторения способны настроить человека на позитивный лад, заставить мыслить и чувствовать в верном направлении, тем самым способствуя выздоровлению.

Могут быть полезны также и аффирмации — позитивные утверждения, помогающие справиться, например, с глубокой тревогой, страхом, неуверенностью: «со мной всё будет хорошо», «я справлюсь», «я спокоен».

Жанна разговаривала со своей опухолью. Пытаясь, как с живым существом, наладить с ней контакт, не воинствуя, не ссорясь, но стараясь убедить ее остановить рост.

Понимаю, для неподготовленного читателя подобные упражнения могут показаться наивными или даже бессмысленно-глупыми. Однако я убежден, что в поисках спокойствия, обретения уверенности, в поисках точки духовной опоры, остро необходимой каждому пациенту, хороши любые средства. Главное, чтобы они подходили именно вам.

В духовных практиках, так же как и в физиотерапии, важна регулярность. Не забывайте об этом, выбирая тот или иной способ восстановления. Детально же всё перечисленное здесь и многие другие духовные практики описаны в книгах:

- «Благодать и стойкость» Кена Уилбера, уже упоминавшейся мной;
- «Сила момента сейчас» Экхарта Толле;
- «Подсознание может всё» Джона Кехо.

Итак, Жанна активно тренируется. До сих пор перед глазами картинка, как она, очень довольная собой, выполняет сложную асану, а на тренировочном мате между маминых ног играет маленький Платон.

Нас теперь снова трое. Жанна с сыном как будто заново узнают друг друга. Она словно начинает выделять ребенка из череды размытых туманом болезни образов. Он, наконец, соединяет абстрактное слово «мама» с полузабытым, но все равно незабываемым теплом и запахом самого родного человека. Жанна и Платон иногда играют дома, иногда — на лужайке. Она называет его «мамино счастье».

К сожалению, ей сложно управляться с ним в одиночку, врачи даже советуют не брать ребенка на руки — ей в принципе запрещено поднимать тяжести. Но Жанна усаживает его на колени за обеденным столом и заботливо кормит. Кажется, Платон уже привык к тому, что мама рядом, никуда не исчезнет, ее можно потрогать и обнять. И она наслаждается каждым мгновением с ним. Каждое утро, проснувшись, сын первым делом шлепает босыми ножками в мамину спальню, забирается в ее кровать, и они валяются обнявшись.

Жанна и Платон как будто бы идут параллельными курсами. Она выкарабкивается из тяжелейшей болезни, а Платон развивается. И... они чем-то очень похожи — не только как два самых близких на земле создания, но еще как два ребенка. Обоим требуется забота, внимание, поддержка и любовь. Удивительно, что чуть ранее и Платон, и Жанна пошли в один день. Она впервые встала с инвалидного кресла и самостоятельно сделала первые шаги. И он в этот же день сделал первый в жизни шаг. Такое совпадение.

Жанна хорошеет, веселеет, строит планы. Даже начинает хулиганить.

В Юрмале впервые за год вновь села за руль. Хотя зрение ее было еще довольно слабым. Она и не скрывала особенно, что не видит, куда ехать. Но характер взял свое. Опрометчивый и волевой поступок человека, наперекор обстоятельствам стремящегося поскорее вернуться к привычной жизни. Итак, погрузившись с мамой в автомобиль, они поехали в Ригу. И пускай, хохотали мы потом, сначала направилась не в ту сторону, потому что не могла разглядеть указатели. Пускай чудом не сбила гужевую повозку. Пускай у мамы прибавилось седых волос:

всю дорогу она судорожно хваталась влажной от волнения ладонью за поручень и подсказывала дочери, когда и в какой ряд перестроиться, чтобы избежать аварии.

Апогеем этого приключения стало вот что. На дороге голосовал старичок. Неизвестно, о чем он подумал, когда напротив него остановилась дорогая иномарка. А может, и не подумал ни о чем, если видел так же плоховато, как и водитель.

— Дедуля, куда?

— В соседнюю деревню.

— По пути. Садитесь. Дорогу покажете?

Дедушка невозмутимо забрался в машину и деловито уселся на заднее сиденье. Возможно, впервые в жизни он добирался домой с таким комфортом и наверняка так и не понял, кто в тот день был его персональным водителем, и, надеюсь, не догадался, что водитель ни черта не видел, передвигаясь «на ощупь» и следуя указаниям мамы-навигатора.

Тем летом Жанне исполнилось 40 лет. В саду нашего летнего дома мы накрыли столы и, впервые за долгое время празднуя, подняли бокалы каждый за свое, но, кажется, все равно за одно — за здоровье любимого нами человека. Это был действительно грустный праздник с улыбками и надрывным смехом. Чувство тревоги неизменно отравляло сладость торжества. Жанна подняла тост. И мне следовало бы оставить его содержание в тайне от посторонних, если бы он не касался многих из тех, кто держит в руках эту книгу. «Если бы не вы, меня бы уже не было в живых. Спасибо. Я люблю вас».

ГЛАВА 30

Летом 2014 года произошло еще одно важное для нас обоих событие. Нам захотелось обменяться кольцами. Это не было желанием «оформить отношения». Мы не стремились наверстать всё, что не успели в жизни до рака. Скорее нам казалось, что это шаг навстречу новой жизни, без болезней, без страха. Да и вообще нам обоим хотелось надеть друг другу кольца и после иногда с гордостью поглядывать на них. Муж. Жена. Класс!

Мы говорили о свадьбе много раз, но всегда — впроброс, в шутку, на бегу. Впервые всерьез мы заговорили об этом уже во время болезни. О том, как поженимся, как проведем этот день, как будем одеты, кого пригласим и где будем праздновать. Это был один из множества разговоров о будущем, в котором не будет врачей и лекарств, не будет страха и одиночества. Эти разговоры отвлекали нас от повседневной рутины болезни, и поэтому мы с большим наслаждением снова и снова возвращались к ним при каждой возможности.

Мы не спешили и не строили планов. Нам обоим было понятно — мы навсегда вместе, мы и так женаты волей судьбы и будем вместе, пока смерть не разлучит нас. Мы любили друг друга и хотели прожить счастливую и полную жизнь, но понимали, что обречены жить сегодняшним днем. Болезнь научила нас: завтра может и не быть. Поэтому мы просто мечтали и договорились, что поженимся, когда всё плохое и страшное останется позади, потому что хотим провести этот день так, как хотим мы, а не как диктуют обстоятельства. Жанна вернется к прежней жизни, будет еще красивее, чем раньше, на ней будет самое нежное белое платье. Наверное, об этом дне мечтает всякая девочка. И я хотел, чтобы моя девочка была счастлива.

Мой телефон синхронизирован с планшетом, который давным-давно я отдал Жанне, чтобы она могла коротать время в больничной палате. И вот я с удивлением замечаю, что в мой фотопоток начинают приходить фотографии свадебных платьев, свадебных причесок, колец. Ха! Кажется, Жанна действительно возвращается к жизни. Еще в Лос-Анджелесе мы выбрали дизайн обручальных колец и сделали заказ ювелиру, а спустя несколько недель по почте получили восковые образцы. Мы с наслаждением примеряли и носили их, пока хрупкий воск не лопнул, напоминая о недолговечности и о том, что не следует откладывать жизнь на потом.

К нашему приезду в Юрмалу со мной уже была алая бархатная шкатулка с двумя обручальными кольцами из белого золота. Ювелир был очень добр, сказав, что это его подарок ко дню свадьбы, и попросил за работу символический 1 доллар. Борис, прости, я по-прежнему должен тебе доллар!:-)

Приближался день рождения Жанны. Для большинства мужчин запомнить любую из общих дат составляет некоторое затруднение. И я не исключение. Однако за год скитаний по госпиталям мне такое количество раз приходилось отвечать за Жанну «дата рождения 8 июля 1974 года», что забыть это сочетание цифр было просто невозможно. И чем ближе был день ее рождения, тем тревожнее мне становилось: то было не просто лето 2014-го, лето надежд, лето, которое заставило нас поверить в чудо. Но и лето, наполненное страхом, неведением и словами врачей, сказанными лишь мне одному, что надежды нет.

Во мне боролись две противоположности: я совсем не хотел жить нашу с Жанной жизнь быстрее, чем до́лжно, но совершенно точно понимал, что цена каждого дня теперь много выше.

Что же, пускай в день рождения. И пускай в этот день все наши мысли будут о платье, гостях и прочих свадебных глупостях, а не о том, сколько еще дней рождения будет в нашей жизни.

Оставалось только решить как. Мне всегда казались неуместными и странными предложения в сложном антураже, да и ситуация не располагала. Хотелось простоты и искренности. Ранним утром 8 июля я вошел в спальню Жанны и опустился перед ней на колено.

И, конечно, мы были бы не мы, если бы я не замямлил что-то сбивчивое и путаное, мы не засмеялись и я не попросил разрешения начать еще раз сначала. И Жанна не была бы собой, если бы не ответила кокетливое «я должна подумать», что, конечно же, означало «да».

«Я буду твоей женой», — напишет она мне позже, чтобы не оставлять сомнений. Это же Жанна.

ГЛАВА 31

Счастливое лето пронеслось стремительно. Мы — почти что прежние, только много пережившие Жанна и Дима. Мы помним, через что прошли, но не смотрим вперед. Мы живем единственным — сегодняшним днем. И да, мы по-прежнему держим друг друга за руки. Наверное, все же мы счастливы. Однако это какое-то обостренное, раненое, затравленное счастье. Всегда с опаской. Счастье, которое не расслабляет, а скорее напоминает о зыбкости происходящего. На рассвете, стоя босиком на крыльце, глядя, как серое море сливается с серым небом, — такое бывает только в Юрмале, — мы с Жанной чаще молчим: боимся спугнуть то, что есть.

Наступила осень 2014 года, и в конце сентября мы вернулись в Москву. Быть может, подсознательно ощущая, что пространство времени для нас ограничено, мы вновь, как и в начале отношений, стремимся наполнить жизнь событиями.

В один из теплых осенних вечеров мы оставили Платона родителям и уехали вдвоем в московскую квартиру. Столько месяцев у нас не было возможности побыть наедине. Квартира пустовала больше года, и Жанна очень скучала по своему гнездышку. Эта квартира была ее маленьким миром, заботливо созданным ею самой и только для нее. Я всегда чувствовал себя в ней чужим, всегда гостем. Но, признаюсь, в минуты отчаяния приезжал туда, чтобы «побыть с Жанной», вдохнуть ее запах, прикоснуться к вещам.

Несмотря на относительно хорошее в заданных обстоятельствах самочувствие, Жанна все-таки была довольно слаба и вынуждена часто отдыхать. Но тот вечер, который принадлежал только нам, меня совершенно потряс. Мы долго и весело обедали с друзьями в нашем любимом французском кафе. Потом Жанна, как в прежней жизни, на несколько часов «потерялась» в салоне красоты. А потом мы остались вдвоем и, обнявшись, смотрели черно-белое кино. Оказалось, нет ничего более ценного, чем эти беззаботные мгновения наедине. А после, несмотря на позднюю ночь, Жанна погрузилась в свой гардероб, пересматривая, примеряя, перекладывая наряды, дожидавшиеся возвращения хозяйки, — девичье счастье. И вот представьте — на всё это ей хватило сил. В тот вечер всё как будто вернулось на круги своя с прежними привычками и маленькими радостями. Всего на одну ночь нам показалось, что буря миновала, впереди только штиль и счастье.

Самыми любимыми и одновременно сложными для меня были наши попытки выйти втроем с Платоном. Очевидно, Платон поглощал всё внимание, но помощь требовалась и Жанне. Поэтому из ресторана я всегда уходил голодным: ухаживая сначала за одним, потом за другим. Но меня это вполне устраивало. Навстречу Жанне часто выходил персонал, забыв о заведенных порядках, обнимая ее, целуя и желая здоровья.

Особенно врезался в память один из дней, когда Жанна, впервые с того момента, как мы прощались в Майами, приехала за мной в аэропорт. По пути к машине нам встретились двое мужчин. С виду — простые работяги. Пройдя мимо, они, обернувшись, крикнули нам вслед: «Вы молодцы! Так держать!» Эта поддержка дорогого стоила.

Близился Новый год, и мы посетили, кажется, три или четыре детских спектакля. Правда, ни на одном из них не пробыли дольше двадцати минут: терпения и сил не хватало ни Платону, ни Жанне. Но по сравнению с тем, как мы жили еще полгода назад, это тоже было счастьем.

В декабре мы приглашены на свадьбу близкого друга Жанны. Не знаю, насколько было хорошей идеей пойти: после нашего появления в центре внимания оказались не жених с невестой, а именно мы. К Жанне безостановочно подходили гости, обнимали, желали выздоровления и сил. Это был очень важный и очень ободряющий для нее вечер. Я же чувствовал себя неуютно. Еще до болезни мы редко выходили на подобные мероприятия, предпочитая узкий круг близких и знакомых людей. И даже тогда мне всегда хотелось увести Жанну подальше от любопытных глаз. Сейчас же это чувство обострилось стократ, ведь моя Жанна нуждалась в большей защите и опеке, чем раньше, я переживал за нее, за пристальные взгляды, пустое внимание и еще больше, чем раньше, хотел уберечь. Это не было чувством собственности, но обостренным, искаженным, вымученным долгими месяцами чувством заботы.

В один из дней я пригласил Жанну в театр. Почему-то она собиралась дольше обычного. Мы опаздывали. Я вышел из машины, чтобы встретить ее, и остолбенел. Впервые больше чем за год навстречу мне чуть неуверенно, но целеустремленно шла Жанна на каблуках. Это было потрясающе. Каблуки всегда были неотъемлемой частью ее образа. Однако то, что раньше было естественным, теперь выглядело дерзким и ошеломляющим. Этот смелый шаг будто бы стал триумфом над обстоятельствами, а эта неустойчивая обувь — символом стойкости. «Ты прекрасна», — только и смог выговорить я, поднял ее на руки и поцеловал.

Думал ли я о будущем? Конечно, думал. И мысли эти были тревожными. Иногда я заговаривал об этом с Жанной. В эти минуты лицо ее менялось: вытягивалось и как будто каменело. Она смотрела сквозь меня и молчала. Она не хотела загадывать дальше сегодняшнего дня, дальше сиюминутного. Меня же это угнетало и тревожило. Было понятно: Жанна тоже переживает. Но не хочет говорить об этом. Ей страшно. Ей очень страшно. Она только-только на неокрепших ногах вышла их этой отвратительной комнаты ужасов болезни. Она боится оглянуться назад. И зажмуривается, чтобы не смотреть вперед, будто знает: всё временно.

Наверное, это лето и осень 2014-го были моментом наивысшего успеха в нашей борьбе. Дальше болезнь одну за одной, медленно и уже безвозвратно, начала прибирать к рукам все наши маленькие победы.

ГЛАВА 32

Из дневника, осень 2014 года:

«Ко мне вернулся страх. С тех пор как мы прилетели из Лос-Анджелеса, я живу как на качелях. Я переживал восторг и уверенность. Шутка ли, мне говорили, что она не сможет ходить, а сейчас она делает ласточку и танцует, села за руль, уехала обедать с подругами, после массажист, а на поздний вечер назначен маникюр. Это после полутора лет больничных коек. Я был в восторге. А сейчас мне страшно. Прошло больше восьми месяцев после иммунных инъекций. В любой момент "чудо" может закончиться, и дальше — темнота, я не знаю, что будет дальше, и поэтому боюсь каждый раз, когда она спит дольше обычного, каждый раз, когда засыпает в машине, каждый раз, когда говорит, что устала. Стараюсь не подавать виду и ободряю ее — "всё будет хорошо". Страх рождается от неизвестности. А мы действительно не знаем, что нас ждет».

Внешне всё выглядит неплохо: раз в три недели — контрольное МРТ, после отравляю эту информацию в Лос-Анджелес и жду, что ответят врачи.

И если врачи отвечают, что опухоль не прогрессирует, это значит, что на следующие три недели можно расслабиться. Вначале кажется, что впереди еще так много времени. Однако время покоя пролетает молниеносно.

Тем временем Жанна отчего-то начинает терять волю к жизни. Улетучивается бодрый настрой, который так мне нравится: встать на ноги, похудеть, вернуться в обычную жизнь и, чем черт не шутит, в профессию. Порой буквально приходится заставлять ее заниматься спортом, меньше спать, проводить больше времени с ребенком. Не могу сказать, что успешно. Это дается нелегко.

«Почему ты лежишь? — не выдерживаю я. — Это плохо для тебя, неужели ты не понимаешь? Если не для себя, сделай это для Платона, для меня. Ему нужна мама. Мне нужна ты».

Выхожу из комнаты, бью кулаком в стену. Тебе мало того, что она просто жива? Почему бы не дать ей просто отдохнуть? Сколько раз, когда она лежала без чувств, ты говорил себе, что примешь ее любой, только бы жила? Да, так и было. Но если спросить, нравится ли мне на самом деле то, что сейчас происходит с ней, то я отвечу: нет, не нравится. Потому что с ней ничего не происходит. Иногда она как будто удаляется от меня, выключается, растворяется в снах, мыслях, в рассеянном взгляде. Мне страшно от этого. И я злюсь. На себя, на нее, на болезнь.

Из дневника, осень 2014 года:

«...Иногда я не узнаю мою Жанну. Я, как старик Хемингуэя в открытом море, заглядываю под лодку и вижу, что от мечты с каждым днем остается все меньше. Жанна живет пустой и бесцельной жизнью.

Иногда пересматривает старые фильмы или слушает старые альбомы, не читает. Она счастлива, когда я приглашаю в театр, но сама не зовет. Она не помнит, что я говорил ей пятнадцать минут назад. Она рассказывает истории, которые я слышал уже десяток раз. Она мало с ребенком. Она забыла про спорт, а без него, как без кислорода, — нельзя. Она не думает о режиме и не помнит таблетки, которые пьет, я даю их ей по будильнику в 8 и в 20 — сама она не беспокоится. Она много одна. Она много спит. Я уверен, она переживает почти всё внутри, но мне так мало ее. Наверное, она и раньше была такой, только сейчас всё худшее в ней стало особенно заметно, а всё лучшее спряталось».

Порой я сажусь за рабочий стол и пересматриваю бесчисленные бумаги с результатами обследований Жанны, научными статьями из журналов, справками, прогнозами, снимками МРТ. Пытаюсь еще раз восстановить в голове разговор с докторами из Лос-Анджелеса: лекарство может действовать непредсказуемо коротко или долго, и до тех пор, пока состояние драматически не ухудшится, ничего более предпринять невозможно.

Такое ожидание нельзя назвать зоной комфорта. Мысль о том, что всё временно, сверлит мозг. Периодичное «выпадение» Жанны из жизни — что это? Ухудшение или просто способ психологической адаптации? Что вообще, черт возьми, происходит? Когда мы станем жить обыкновенной жизнью, оставив болезнь позади?

В нашей с Жанной истории интуитивно я занял позицию попутчика, который никогда не оставит, который всегда рядом. Я даю ей понять, что не рассчитываю на нее, на ее поддержку, на ее участие, только хочу, чтобы она поправилась. И при этом не говорю, но очень жду ее «возвращения». Я хочу, чтобы наконец нас снова стало двое. Я так долго тащу это всё на себе один. Это выжидание меня тяготит. Пытаюсь объясниться. Но мои попытки достучаться до Жанны тщетны.

Из дневника, осень 2014 года:

«Я принял принципиальное решение и не буду его менять. Я останусь с этой женщиной навсегда. По-другому не может быть. Но я слабак, потому что все чаще у меня не остается терпения. Я позволяю себе злиться на ее забывчивость и лень, раздражаться на пустоту в ее голове, в конце концов, требовать к себе внимания. И, к ужасу, начинаю понимать — лучше не будет. Злюсь. И все меньше подстраиваю свою жизнь под нее, иначе боюсь, что тоже скачусь в пустоту. Я отдаляюсь от нее, так же как она от меня. Однако моя ненависть в действительности — это моя любовь к ней. И будь сейчас новогодняя ночь, я бы все равно загадал, чтобы у Платона была мама, чтобы у меня была моя Жанна и чтобы она была жива».

Возможно, это распространенная ошибка родственников — полагать, что, когда болезнь временно отступает, то больной должен немедленно продемонстрировать все признаки выздоровления. Как будто бы рак — это грипп или ангина. Увы, рак — это долгое заболевание. И даже если представить, что химиотерапия, облучение, операция или иммунотерапия, как в нашем случае, дали результат, психологически рак будет еще долго держать дорогого вам человека за горло. «Выйти» из болезни гораздо труднее, чем просто физически поправиться. В постсоветском менталитете, кажется, вообще не существует никакого алгоритма жизни после рака. Потому что нам кажется, что рак = смерть. Это не так. Сколько есть историй людей, истощенных жизнью после рака. Только, представьте, не самой болезнью, а ее психологическими последствиями, страхом рецидива, непониманием и необоснованными претензиями родственников и близких: «Ну, давай, вставай, иди вперед, ты же поправился!»

Всё не так просто.

Вместе с онкологическим пациентом болеет вся семья. В это трудно поверить, если вы по ту сторону болезни. И это кажется совершенно очевидным, если вы внутри. Я уверял себя: я сильный, я всё выдержу, я всё смогу. Это заблуждение.

...Одним вечером, припозднившись, я был вынужден остаться в Москве, в то время как Жанна и сын были в загородном доме под присмотром родителей. За ужином я налил себе рюмку водки, затем вторую, третью. Мне казалось, что алкоголь не действует, что ему не под силу заглушить мой воспаленный ум, ослабить нервы. Не под силу хотя бы на один вечер избавить меня от повседневного напряжения. Казалось, что я пил воду, и уже не замечал, как пил, пил, пил, наполняя одну рюмку за другой. Мне было так одиноко, и я был совершенно опустошен. Я пил. Время перестало существовать. Всё кругом поплыло, затуманилось и исчезло, только изредка вспыхивая бессвязными картинками реальности. Дверная ручка моего автомобиля... Ночной город... Замочная скважина двери ее квартиры...

Я проснулся в квартире Жанны. С ужасом для себя осознав, что едва ли помню, как сел за руль, приехал из своей квартиры в ее, чтобы прикоснуться к безвозвратно ушедшему, тоскуя по прошлому беззаботному счастью. Я понял, что впервые в жизни просто не контролировал себя. Страшно представить, что я мог натворить.

Я погибал вместе с Жанной. И мне нужна была помощь. Тогда это стало совершенно очевидно.

> Болезнь — это испытание. Трудно проходить его в одиночку. Не стесняйтесь попросить помощи. 8—800—100—01—91 — это бесплатная круглосуточная линия помощи людям с онкологическими заболеваниями и их родственникам. Она организована проектом «Со-Действие». Если вам плохо, не держите это в себе.

То время требовало от меня особенного терпения. До этого дня моя жизнь была подчинена сначала подготовке к рождению сына, уходу за Жанной, поиску лечения, врачей и лекарств, консультациям, бесконечным переездам. Непростая смесь. Тогда я почувствовал, что остро нуждаюсь в поддержке, тоже нуждаюсь в заботе. Давно ли кто-нибудь спрашивал, а как, собственно, себя чувствую я? Но спросить было некому: самые близкие мои люди нуждались во мне, и я терпел. Изо всех сил ежедневно держал себя в руках, пытаясь не сорваться, не выплеснуть все, что накопилось внутри.

Накануне очередного контрольного анализа мы все необъяснимо испытывали особенное напряжение. Казалось, что страх победил, казалось, что на этот раз новости будут нерадостными.

— Всё в порядке, — сухо отрезал врач. — Встретимся через три недели.

Его скупые слова, сказанные для того, чтобы успокоить, наоборот, с силой всколыхнули мнимое равновесие затаившейся души. В тот вечер я не нашел ничего лучше, чем вновь искать спасение в алкоголе. И вскоре ощутил, что больше не в состоянии сдерживать себя. Я кричал, ломал мебель, колотил кулаком о стену и повторял только: «Как больно… как больно… как мне больно» — и не мог остановиться. Это был нервный срыв, который должен был рано или поздно произойти.

Моя испуганная Жанна нежно обнимала меня за плечи: «Всё хорошо. Всё хорошо…»

«…Прости, мне так стыдно. Я ничего не могу поделать. Прости мои слезы. Я не должен быть слабым. Я так люблю тебя. Прости. Прости. Прости…»

Наутро я рассказал Жанне о своих страхах. Выслушав, она взяла меня за руку и посмотрела в глаза: «Счастье любит тишину, — сказала она, — мы же счастливы? Нам сейчас хорошо?» И я не нашелся что ответить. Счастье любит тишину. Я велел себе быть тихим в нашем счастье.

Незаметно наша новая жизнь обзавелась привычным ритмом и порядком. И мы научились наслаждаться тем, что имеем.

Одним из самых важных событий того времени стала наша с Жанной поездка в новый дом, который мы присмотрели и купили вскоре после рождения Платона. Многие спрашивали, почему было не отложить покупку до лучших времен? Чтобы не откладывать жизнь на потом! Мы хотели уединения. Мы хотели, чтобы у нашего сына был дом.

Мне не терпелось поскорей показать его Жанне, и наконец этот момент настал: строители учтиво встречали нас, кажется, даже надев свежие рубашки, а я вел экскурсию: «Посмотри, здесь будет кухня, здесь — спальня Платона, а это наша». Жанна светилась от счастья и уже представляла, какие повесит занавески, какой будет мебель и свет. После устроили скромный ужин прямо в строительном вагончике на заваленном снегом участке. Мы пировали вместе с нашими строителями, Жанна с присущей ей непосредственностью поедала приготовленного на углях кролика, запивала его красным вином и смешила всех историями из гастрольной жизни. Несколько часов счастья в строительной бытовке в сердце нашего несостоявшегося мира. Последние несколько часов счастья. Жанна видела наш дом в первый и последний раз в своей жизни.

А потом мир стал сжиматься. Световые дни становились короче, и вместе с ними угасала Жанна: спала все дольше, забывалась чаще, стремительно слабела. Мозг подсказывал — болезнь вновь берет свое. А сердце отказывалось верить.

Накануне нового, 2015 года по итогам очередных результатов МРТ я получил письмо из Лос-Анджелеса от нашего лечащего врача: «Боюсь, вам пора возвращаться». Ледяные стрелы страха пронзили грудь, а голова по привычке переключилась в аварийный режим: нужно безотлагательно действовать. К счастью, я уже знаю как. Но, к несчастью, еще не могу принять, что чудеса не происходят дважды.

ГЛАВА 33

Опять самолет, многочасовой перелет. Знакомый до трещин на взлетной полосе аэропорт Лос-Анджелеса: еще недавно он подарил нам большую надежду. Что же будет теперь?

Останавливаемся в отеле неподалеку от госпиталя. Жанне по-прежнему нужно как можно больше двигаться. Попробуем преодолеть это небольшое расстояние пешком.

В городе всё, как и прежде, и уже знакомо. Запахи распустившихся цветов и деревьев вдоль дорог, уютные невысокие белые дома, перпендикулярные улицы, неспешные горожане, ласковое солнце. Мы будто имплантированы в эти обстоятельства. Мы чужие здесь. Несовместимы с атмосферой спокойствия. Волны накатывающего на нас беспокойства сильнее окружающего умиротворения.

— Я очень устала, давай отдохнем.

— Давай. Мы уже почти пришли. Ты молодец! Не забывай, вечером мы собирались поужинать в Nobu, — подбадриваю я Жанну. — Сядешь за руль?

Вот и госпиталь. Всё привычно до автоматизма: раздвижные двери, запах кофейни на первом этаже, лифт, шестой этаж.

Мы оказываемся у дверей приемного покоя. Любезный администратор встречает улыбкой.

— Добрый день, мисс Фриске. Располагайтесь. Напомните, пожалуйста, дату вашего рождения.

Не успеваю раскрыть рот, как Жанна перебивает:

— Восьмое июля семьдесят четвертого. — И, повернувшись ко мне, игриво: — Эй, я могу и сама.

Вскоре появляется наш лечащий врач Джереми: «Как вы долетели? Как Платон?» Показывает укус детских зубов на руке. «Посмотрите, это меня дочь. Ничего себе, правда?! С сыном таких приключений не было. Теперь я понял — мальчики разбивают всё вокруг, а девочки разбивают папе сердце». Вижу, старается отвлечь нас. «Жанна, ты хорошо выглядишь. Мы все еще не можем забыть твою ласточку. Ладно, отдохни немного. Дмитрий, можно на минуту?»

В кабинете Джереми на экране снимки последнего МРТ Жанны. Кажется, я уже безошибочно узнаю именно ее черно-белые слайды среди множества. Джереми стучит обратным концом ручки по экрану:

— Дмитрий, это рецидив. Появились новые очаги опухоли и возобновился рост старой.

— Что нам делать?

— Я буду с тобой откровенен. Мы испробовали все доступные методы. Ничего более нового в принципе не существует.

— А повторные инъекции? Вы говорили, что это возможно.

— Да, это действительно возможно. Но ты должен помнить, что резервы организма не безграничны. Количество иммунных инъекций ограничено. Но мы обязательно попробуем. Как и прежде, только время покажет, сработает наш план или нет. Начинать нужно срочно. На размышление у вас день.

— Хорошо. Жанна слабеет с каждым днем. Она почти все время спит.

— Поспеши! Если мы опоздаем, в один из дней ты просто не сможешь ее разбудить.

Я нашел Жанну спящей в смотровом кабинете.

— Любимая... — нежно тормошу я ее. Она глубоко спит. Не скоро с трудом открывает глаза и не может понять, где находится.

— Где мы? Где Платон?

— Мы в Лос-Анджелесе. Платон ждет нашего возвращения в Москве.

Улыбаюсь. Глажу ее по волосам. А в душе закипает паника. Слишком мало времени прошло с тех пор, как я видел эти симптомы в последний раз, слишком свежи воспоминания. Всё повторяется вновь. Но стараюсь не подавать вида.

Итак, мы испробовали уже всё, что предлагала мировая официальная медицина. Альтернатив нет. Этот препарат — последняя сколько-нибудь оправданная надежда на задержку болезни. На нем оканчивается зона передовой исследовательской медицины, и начинается пустота, которую остается наполнить смирением.

Звоню в Москву ее родителям. «У Жанны рецидив. Завтра необходимо дать ответ, если вы согласны продолжить ее лечение. Гарантий по-прежнему никаких. Посоветуйтесь, с кем считаете нужным, подготовьте вопросы врачу и примите решение».

Вопросов у них не было. Решения тоже. Жанна в постели и не помнит, где она, путает день и ночь. Ну что же, в таком случае решать мне.

«Джереми, у нас нет выбора. Если ты считаешь, что это может сработать, — начнем».

В те дни Жанна уже почти не вставала и редко приходила в сознание. Сижу возле постели. Получаю СМС от Ксении.

«Дима, Жанна не отвечает на мои сообщения. Где она?»

«Сижу рядом с ней. Мне она тоже не отвечает. И мне самому интересно, где она».

Однажды ночью я проснулся от ее взгляда.

— Привет. Как ты?

Жанна взяла меня за руку. Совершенно ясно и четко, казалось, осознавая наше положение и происходящее, тихо, спокойно попросила: «Пожалуйста, не отпускай меня». Сказав, закрыла глаза и уснула, улыбаясь прежней нежной улыбкой из светлого, радужного прошлого.

Утро. Такси в клинику. Инъекция. Такси в отель. Постель. Мучительный страх. Врачи уверяют: то, что предыдущее лекарство подействовало так эффективно, повышает шансы на успех и с новой вакциной. Распорядок прежний — один укол каждые три недели. О том, есть ли результат, станет известно не раньше чем через 12—18 недель. Никаких гарантий. Вымученная, чахлая, но еще теплящаяся скромная надежда — вдруг и на этот раз? Это становилось невыносимо.

Ошалевший от мыслей, брожу по Лос-Анджелесу: знакомые улицы и дома, те же магазины, рестораны. Но если в прошлый раз мы были там вдвоем, заново выстраивая шаткую конструкцию новой жизни, все-таки полной надежд, то сейчас я снова один. Мне одиноко и страшно. Опять наступило мрачное, беззалостное, высасывающее силы время болезни.

Оставаться здесь больше не имеет смысла. Мы должны вернуться домой.

Февраль 2015-го. Перелет подобен ночному кошмару. Скорее открыть глаза, чтобы вырваться из мучительного сна, вытряхнуть из головы навязчивый шум, голоса. Темная комната, учащенное дыхание. Затухая в уходящем сне, все тише эхо пугающих звуков. Тишина. Успокойся. Но стоит только опять забыться во сне, как необъяснимые сцены вновь мгновенно затягивают в бездну ночного мучения. Жанна открывает глаза, ненадолго выныривая из тяжелого сна. «Где мы? Куда? Почему в самолете?» Мне больно и жутко видеть, с каким неподдельным усердием, ненадолго обретая ясность сознания, она что есть сил пытается понять, что происходит, соединить в голове мысли, ощутить время, понять маршрут. Но тщетно. Выбившись из сил, в изнеможении она закрывает глаза, засыпает — и потом вновь и вновь: «Где мы? Куда?» Раз за разом терпеливо повторяю: «Мы летим домой. Нас ждет Платон. Доверься мне. Спи. Я рядом. Я не отпущу».

Жанна и сын вновь в родительском доме. Обстановка критическая. Бесконечные семейные склоки, ругань, мат. Они переживают по-своему. Только это не решает главного — не помогает Жанне. Нервы расшатаны у всех. Теряя последнюю выдержку, меня засыпают обвинениями в неверно выбранном лечении и бездействии. И совсем безумными: «Ты хочешь ее смерти».

«Вам есть что предложить взамен? — спрашиваю. — Было что предложить? Где вы были в течение этих двух лет?»

Ответа нет. Лишь ор, отвратительные истерики и плач. Меня вновь и вновь спрашивают, когда подействует лекарство? Объяснения не помогают. Отвечать не имеет смысла.

Семья Жанны близка к тому, чтобы остановить инъекции. «Ее убивает не опухоль, ее убивает лекарство», — уверены они. О продолжении или отказе от лечения громко спорят всей семьей. Согласия нет. При этом никто не знает наверняка, как лечить Жанну. Дом буквально кипит. В конце каждого спора, неизменно переходящего в ссору, виновным остаюсь я. Это происходит день за днем и длится неделями. Эмоции не решают проблему — так или иначе о Жанне нужно заботиться, пытаться ей помочь. Так и лечат, противясь, бурно всхлипывая, но лечат, или, скорее, не мешают лечить.

Я вновь возвращаюсь в США за следующими дозами препарата. После в Германию. Получить лекарство в России невозможно, назначенный препарат здесь не сертифицирован. И это значит, что ни один врач не имеет права вводить его пациенту. Кто согласится?

Действительно серьезнейшей проблемой стали переговоры с российскими онкологами. Статус и состояние здоровья не играют никакой роли. Все же после нескольких недель переговоров онкоцентр имени Блохина соглашается пойти нам навстречу. Но вот беда. Принимая Жанну на лечение, российские врачи диктуют свой протокол. Он не совпадает с протоколом американских коллег. Более того — противоречит. Спорить было бессмысленно. Во врачебный «диалог» будто вмешался выскочка-дилетант. Что я мог сказать? «Умоляю, свяжитесь с Лос-Анджелесом. Прошу. Важно действовать сообща. Иначе какой резон? Я очень прошу». Меня терпели и снисходительно молча делали свое дело. Обнуляя все наши прошлые попытки спастись. «Не спорь. Нас просто вышвырнут отсюда», — шипит на меня мать Жанны.

Стоя у кровати не приходящей в сознание Жанны, только что закрыв дверь за нашим «несогласным» врачом, опустошенный и обессилевший, помолчав, я тихо сказал: «Всё».

Все дальнейшие решения о лечении Жанны родители должны принимать самостоятельно. Я останусь, буду делать всё, что и прежде, буду помогать, но «тянуть» дальше, постоянно спотыкаясь о противоборство и просто саботаж ее родных, я больше не в силах. Мне не было стыдно. Было горько и обидно. Болезнь, которая должна была сплотить, наоборот, разорвала неловко натянутые ниточки отношений между безмерно далекими друг от друга людьми.

Разумеется, я продолжал консультации с Америкой и Европой, занимался анализами, лекарствами. Но снял с себя ответственность за дальнейшие шаги. И, к собственному стыду, вскоре осознал чудовищную истину. Когда в прошлый раз врачи в России сказали мне, что надежды нет, я ответил: «Мы еще поборемся». С тех пор прошло полтора года, которые Жанна не просто прожила, а встала на ноги и изо всех скромно отмеренных сил вновь попыталась зачерпнуть полноценную и насыщенную жизнь. В конце концов, несмотря на трудности, это время рассказало нам о цене сиюминутного счастья, позволило собственными пальцами нащупать пульсирующую артерию бегущего и ускользающего времени.

И вот мне вновь повторили те же слова: «Надежды нет». Молча киваю и вспоминаю, как однажды уже это слышал. Но сейчас никаких сил, а главное, никакой веры, увы, во мне уже не осталось. И самое чудовищное, я осознал, что разрубить этот чертовски сложный узел болезни, семейных отношений, собственной усталости, пустых надежд, умирающей любви сможет только… выздоровление. Или смерть. Ничего другого.

«Девочка моя, я никогда не отпущу тебя, — шептал я Жанне все более редкими мгновениями, когда нас оставляли наедине. — И если мне не суждено тебя спасти, я хотя бы не хочу склок над твоей головой, не хочу унижать тебя ссорами, полными ненависти».

Мне показалось, она меня слышала.

ГЛАВА 34

Весной 2015-го Жанна сдавала на глазах. Особенно очевидным ее ухудшавшееся состояние становилось при взгляде на лифтерш клиники на Каширке. Встречая нас, из раза в раз те всё громче охали, крестились, картинно молчали.

Жанна уже не открывала глаза и не говорила. Но мы упрямо продолжали ездить каждые три недели, чтобы ввести ей иммунный препарат, после снимали МРТ, и результаты я отправлял в Лос-Анджелес.

Онкоцентр на Каширском шоссе. Чудаковатый доктор с массивными запонками на манжетах безупречно белой и, кажется, безразмерной рубашки наклоняется к лежащей Жанне и громко, слишком громко для рядовой проверки буквально кричит ей в лицо: «Жанна, ты меня слышишь?» Она не отвечает. Это был наш последний визит в госпиталь. Вскоре доктора онкоцентра отказались от продолжения терапии. Состояние критическое.

Я уже не тешу себя ложными надеждами, что мрачная болезнь вновь взмахнет темным покрывалом страха, едва прикоснется, опишет круг и уйдет. Уже не надеюсь на чудо. Стремительность, с которой тает мой любимый человек, отрезвляет и недвусмысленно говорит, что это начало конца. Но я так не хочу, чтобы она страдала. Господи, я просто надеюсь, что ей не больно. Что она не понимает, что происходит. Если всё необратимо, пусть хотя бы ей будет легко.

Недели летят одна за одной. Ночной телефонный звонок:

— Джереми, прошло двенадцать недель. Жанна не приходит в себя.

На том конце — долгая пауза.

— Мне очень жаль, Дмитрий. Похоже, мы проиграли.

— Больше ничего нельзя сделать?

— Боюсь, что нет.

— Сколько у нее времени?

— Я не знаю. Не много. Месяц, быть может, два. Счет на недели.

— Она чувствует боль?

— Я не думаю.

— Она понимает?

— Скорее всего, нет. Просто будь рядом с ней. Пожалуйста, помни, когда-нибудь мы все умрем, и ты и я. Просто пришло ее время. Постарайся это принять. И дай ей уйти.

Почему врачи у нас дома не могут быть так же искренни, не умеют сострадать так же, объявляя о приближающемся конце? Почему здесь это сухая и отстраненная скороговорка? Как долго и кто должен учить врачей умению разговаривать с пациентами даже на самые трудные темы?

Разговор с Джереми остается между нами. Я не пересказываю его никому. Зачем? Кто еще готов услышать это и принять? Ее родители уверены, у Жанны не рак вовсе: «Это сглаз! И еще слегка барахлит щитовидка, разболтался желудок...»

Осталось попытаться сохранить жизнь Жанны достойной до самого конца, не унизить, окружить теплом, любовью, приятием. Читаю о том, что такое паллиативная медицина. Что значит отпустить человека, не держать ради себя, из жалости к себе или из страха. Твердо знаю — мы сделали всё, что могли. И больше недопустимо мучить ее.

Я живу как в тумане, не очень понимая, что происходит за границами нашей связи с Жанной: утром глажу ее лицо и целую, после плетусь на работу, где должен шутить, включаться, рассказывать, а ночью опять захожу в ее спальню, обнимаю ее, просто держу за руку. Вокруг, но минуя меня, проходит жизнь, которая едва ощутима, прозрачна, безвкусна. Моя же — принять поражение в борьбе за Жанну и попытаться отпустить.

Хлипкая конструкция моих будней выглядит так. Жанна находится в родительском доме за городом. Платон рядом с ней — я счел, что, несмотря на тяжесть ее состояния, это важно для них обоих. Я работаю в Москве. Ежедневно моя сверхзадача — успеть вырваться из города, чтобы не засосали пробки, добраться спустя два часа, провести вечер с сыном (иногда — о счастье! — нам даже удается дойти с ним до детской площадки), уложить его спать, после побыть с Жанной. Семья, одолеваемая подозрительностью, теперь редко оставляет нас наедине. В эти редкие минуты я шепотом пою ей колыбельные. Те, что всплывают откуда-то из детской памяти, или те, что мы пели Платону. Но чаще мы сидим в тишине. Желание просто быть рядом сильнее любых слов. Я глажу ее волосы, держу ставшую почти невесомой руку. И уже глубокой ночью, стараясь не вступать в разговоры, возвращаюсь в Москву. Вскоре этот день закончится и начнется новый, точно такой же.

Я возненавидел этот маршрут. Возненавидел семью и обстоятельства. И самое печальное, не нашлось никого, кроме ближайшей подруги Жанны, неотлучно дежурившей возле ее постели, кто проявил бы ко мне сочувствие и понимал, что не только жизнь Жанны, ее семьи, но и моя тоже превратилась в ежедневный тягучий ад.

Один за другим контакты с нами прекращают консультировавшие прежде врачи. Уже не питая какой-либо надежды, а скорее по инерции разговариваю с каждым из тех, кто встретился на нашем пути. Все единодушны. Александр Николаевич Коновалов вновь аккуратно, но настойчиво призывает не мучить Жанну интенсивной терапией, ей уже не помочь. «Отпустите». Я соглашаюсь. Ей требуется бережный уход и забота.

Отправляюсь в Первый Московский хоспис. Никогда прежде мне не доводилось бывать там. Мое примитивное восприятие начиналось и оканчивалось на простой формуле: «хоспис — смерть». Это не так. С врачом хосписа мы прогуливаемся по маленькому парку, неожиданно уютному и тихому для центра Москвы. Весенние цветы, солнце, пение птиц и совершенно обезоруживающее, вмиг сшибающее былые предрассудки ощущение тепла и умиротворения. Последние дни жизни ожидают каждого из нас. И каждому, пожалуй, хотелось бы наполнить это время тишиной. Наполнить любовью. Хоспис — это не про смерть, а, наоборот, про жизнь. В любви и заботе, без боли и страданий.

Иногда, когда мне кажется, что климат в доме теплеет, я завожу разговор о возможности ухода за Жанной специалистами выездной хосписной службы. Одно упоминание хосписа воспринимают как оскорбление. В отчаянии родители не слышат и врачей, которые просят остановиться. Жанну держат в «плотном кольце окружения», отказываясь от любой профессиональной помощи, «чтобы рядом не было чужих». Отказываются от медсестер и сиделок — «справимся сами... она вот-вот встанет на ноги, зачем тратить деньги...». Не веря в происходящее, они были глухи к таким тяжелым для восприятия, но необходимым вещам, как право пациента на профессиональный уход, на уважительное отношение к неблагоприятному исходу болезни, право на смерть с достоинством. И, наверное, куда меньше собственного страха их волновало, чего хочет сама Жанна. Ответить самостоятельно она уже не могла.

Когда вокруг не осталось ни одного дипломированного врача, семья принялась лечить дочь самостоятельно, хватаясь за любые советы случайных докторов, лекарей и экстрасенсов. Препараты на все случаи жизни назначались прямо по телефону. Как их комбинировать, мать решала по собственному усмотрению. Родители судорожно звонили всем врачам без разбора в надежде на чудо. И по-прежнему, спустя два года болезни, не знали точный диагноз.

В доме появился народный целитель. Провинциальный дед, заверивший, что за несколько недель поставит больную, от которой отказались все, на ноги. Читал молитвы, поил настоями трав, с молчаливого согласия родных добавляя туда ртуть. Из Китая были вызваны специалисты по народной медицине. Ехали долго. Появившись в доме спустя несколько месяцев после приглашения и за несколько дней до смерти, — отказались.

Агония. Паника. Отчаяние.

Мне неизвестно, что чувствует родитель, видя своего умирающего ребенка. И никто не вправе судить этих людей. Я закрывал глаза, только бы не слышать, не видеть, не знать ничего о том, что вытворяют с Жанной, и молился об одном: чтобы она ничего не чувствовала и ничего не понимала. Душила злость от беспомощности, от невозможности оградить свою девочку от грязной суеты. Но увы. Больше я ничего не мог сделать. Оставалось только ждать.

Бесконечно любимая, самая прекрасная женщина лежала в полумраке тесной комнаты в родительском доме на Носовихинском шоссе. Марля на окне, протекающая крыша, лай деревенских псов, суеверно завешенные зеркала. Без врачей и медсестер, в окружении родителей, единственной подруги, сына и бесчисленного количества икон. Они ее не спасли.

Сегодня иногда мне вспоминаются слова колыбельной, которой я баюкал не приходящую в сознание Жанну. И отчего-то я знаю, что она меня слышала.

Больше остального меня ранит, что она ушла, так и не простившись. Ничего не сказала, не обняла, не сжала руку, не попросила о чем-то. Сейчас, спустя полтора года, мне кажется: будь всё сказано, пережить разлуку было бы легче. Хотя бы «Прощай!». Когда всё, что остается, — только догадываться и вспоминать, у отношений нет точки. Кажется, будто она ушла не навсегда, кажется, что скоро вернется, что произошедшее — неправда.

Она не могла попрощаться, утешаю себя. Ведь с первого дня болезни и на всё последующее время на смену моей Жанне с игривой улыбкой и хвостиком рыжеватых волос пришла другая Жанна, немного чужая. Та, которая видела и меня, и сына, и друзей, и родителей, и, кажется, саму жизнь через туман опухоли.

Спустя два года тяжелейшей, съевшей все ее силы болезни проститься из нас двоих мог бы только я. Но я боялся, что слова прощания ускорят ее уход, нарушат что-то непоправимо, сделают ей больно. И не смог. Ни подобрать слов, ни произнести. От этого во мне пусто, словно выжжено изнутри. Невысказанность — вот что осталось.

Спи спокойно, любимая. Знаю, ты слышишь слова моей колыбельной. А я постараюсь быть достойным твоей памяти. Достойным нашей любви.

ГЛАВА 35

Когда я вспоминаю самые счастливые мгновения двух с лишним лет борьбы со смертью, передо мной возникают совершенно обыденные эпизоды нашей повседневной жизни.

Утро. Едва проснувшись, Платон, топоча по полу маленькими босыми ножками, по-детски неуклюже мчится в спальню Жанны. «Мама, мама». Бросаясь с разбегу на постель, начинает скакать. Вижу, она с удовольствием поспала бы еще. Но разве можно? Жанна улыбается, стараясь ухватить вертлявого хохочущего мальчишку. Пользуясь моментом, Платон поудобнее пристраивается, утонув в маминых объятиях. И мы втроем замираем. Несколько секунд или, быть может, минут теплой тишины, ничем не потревоженного счастья.

Вечер. Жанна укладывает Платона спать. Укачивать его на руках ей не под силу. И они лежат обнявшись, она что-то шепчет ему на ухо, слов не разобрать, а он мечтательно отвечает что-то понятное только им двоим. Платон ворочается, садится, взъерошенный, треплет маму по волосам. Она улыбается, просыпается, задремав. Опять кладет его, прикрывает его голову своей рукой, напевает. Он притворяется, что уснул, но только делает вид. В неравной схватке Жанна обычно проигрывает и засыпает раньше. Выходит, это сын укладывает маму спать. Медленно опускается дверная ручка, из комнаты выглядывает румяный и бодрый Платон.

— Мама...

— Всё понятно. Готова? Ладно, пошли. Теперь моя очередь.

Весна превращалась в лето, оставаясь безликим фоном изматывающего марафона, в котором мы все бежали в разных направлениях, судя по всему, от самих себя и от смерти.

С каждой неделей я все меньше бывал с Жанной. Родители оттесняли от нее. А я понимал, что наша привычная связь почти утеряна. Приходя, я просто держал ее за руку или приносил сына, чтобы он поцеловал маму. Конечно, я не торопил смерть даже мысленно. Но больше всего желал облегчения для каждого из нас. В первую очередь для нее. Мои силы были на исходе. Ежедневное успокоительное уже едва помогало.

Я хотел увезти сына на море. Он-то уж точно не должен становиться заложником тягостного ожидания, в котором пребывали мы все. 14 июня мы с Платоном сели в самолет.

Прощаясь, он, светло улыбаясь, целовал Жанне щеки, прикоснулся к ноге, ненадолго замер и убежал. После мы с Жанной остались наедине. Я должен был вернуться через несколько дней, но что-то подсказывало — возможно, не встретимся. Держа ее руку, я просил для нее спокойствия. С упорством и надеждой краем глаза я смотрел на экран датчика кислорода и пульса, схватившего ее указательный палец: вдруг цифры вздрогнут, побегут вверх или вниз?! Это могло значить, что она меня слышит. Алые цифры не изменились. Жанна тоже была неподвижна.

Уезжая, я еще раз оглянулся на ее окно. Никогда мне не было так одиноко и больно. Но на сиденье автомобиля уже сидел наш сын, ел землянику и требовал включить его любимую песню Бруно Марса. Уезжая, я с трудом сдержал слезы.

Утром следующего дня мне позвонила Ксения, не отходившая от постели Жанны. «Всё очень плохо». Я был ошарашен, ведь Ксения неисправимый оптимист. И еще вчера было «нормально», «терпимо», «стабильно», как угодно, — но не плохо. «Насколько плохо?» Весь день сердце было не на месте, душой я рвался обратно в Москву, понимая умом, что это невозможно: если всё так, как говорят, — Платону не следует этого видеть.

На закате я отправлял в Москву первые фотографии счастливого сына: песок, море, блестящие глаза Платона, еще бледная кожа. Вскоре ответ от сестры. Не задумываясь открыл — наверняка там что-то дежурное и привычное.

На экране замерли только два слова. Чувство, словно я распахнул дверь и кто-то выстрелил мне в грудь в упор: «Данна умерла». Данна?.. Данна! Жанна... с ошибкой! Я вскочил на ноги. Сердце колотилось, тело сцепил холод.

* * *

Для чего уже через несколько минут после смерти семья Жанны бросится рассылать сообщения на телевидение и в прессу, навсегда останется для меня необъяснимой, чудовищной загадкой. Вскоре и на меня обрушился шквал звонков. Я отключил телефон и лег.

Настало время, когда больше никакие усилия не были важны. Не нужно было объяснять, не нужно было стараться. Изливающий нечистоты телеэкран, отравленные собственной желчью и тщеславием люди, склоки, споры — всё это осталось где-то далеко. Суета растворилась во времени. Пришло время выдохнуть и сбросить груз последних лет. Я ощутил прозрачность и чистоту, ясность сознания, не замутненную страхом, амбициями, комплексами, и безмерную печаль.

Я думал о том, что наш с сыном отъезд стал своеобразным прощанием с Жанной, освобождением для нее, дав ей, наконец, возможность уйти, когда рядом нет самых близких и любимых людей. Только так я мог объяснить ее стремительный уход.

О том, что происходит у меня внутри, я мог бы поговорить только с одним человеком на свете. Когда-нибудь и это станет возможным.

Мы всегда повторяли: «Счастье любит тишину». Я остаюсь верен этим словам, потому что Жанна остается для меня абсолютным, чистым, неповторимым счастьем.

Мы не сдавались и сражались, чтобы победить. Говорят, два года в такой ситуации — это много. Но, конечно, для нас это очень мало.

Я твердо знаю, что мы не смогли бы справиться без вас. Я хочу поблагодарить каждого: кто жертвовал деньги для лечения Жанны, молился о ее здоровье, просто думал о ней, желал счастья и сил. Хочу, чтобы вы знали: эти два года — во многом ваша заслуга. Спасибо!

ГЛАВА 36

Я старался подготовиться, как только мог. Пытался представить этот момент, ведь уже не было сомнений — всё только вопрос времени. Много читал от медицинского до духовного, аккуратно расспрашивал других, выпытывая...

Всё оказалось бесполезно.

Мгновение, когда узнаешь о том, что всё кончено, парализует, делает немым, оглушенным и совершенно пустым. Сложно сказать, принесло ли это известие долгожданное облегчение. Скорее нет. Вместо облегчения пришла пустота. А потом боль.

Несколько раз в течение болезни, когда совершенно неоткуда было брать силы, чтобы бороться, когда иссякали надежда и вера, я обращался за помощью к психологу.

И читал.

- Элизабет Кюблер-Росс, «О смерти и умирании»;
- Виктор Зорза, «Путь к смерти. Жить до конца»;
- Андрей Гнездилов, «Психология и психотерапия потерь»;

• Анна Данилова, «От смерти к жизни».

Эти книги стали для меня надежными помощниками в трудном и полном преодолений пути. И во время болезни Жанны, и после ее ухода.

Подготовиться к смерти нельзя, сколько ни пытайся выстроить «оборону». Но оказалось, что главный урок, который можно извлечь, — попытаться это прожить.

Я сдался и перестал сопротивляться. И тогда осознал, что причина страдания и боли — в попытках изменить то, что изменить невозможно, в сопротивлении тому, что надо принять, что происходит помимо желания и воли. Моя боль оказалась моей любовью, доведенной до точки кипения, интенсивной, невыносимой в своей безысходности, разорванной трагедией в клочья, но все равно любовью — той, о которой мы мечтаем, которую ждем и которой дорожим.

Я сдался. Только наблюдал, дышал и смотрел на воду. Всё, что мне оставалось, — впустить в себя чувства, от которых я бежал, прожить их искренне, без страха и сожалений. Не отвлекаться, не отмахиваться от них, а прожить. Ведь это был еще один опыт, редкий, болезненный, но все-таки важный опыт.

Вдруг стало понятно, что мир устроен очень просто: всё идет так, как идет, подчиняясь богу или физике, порядку или хаосу — не так важно, в сущности, каждому выбирать, во что верить. И всё, что в наших силах, — это видеть и подтвердить: действительно, всё происходит, просто происходит, само. А наше отношение к этому и есть то, что мы чувствуем.

P.S.

Знаешь, наверное, лишь то, что ты оставляла меня понемногу, смогло отчасти подготовить меня. Должно быть, смерть в одночасье еще страшнее, чем вот так, по крупице, в течение нескольких лет.

Пускай в последние месяцы твоей жизни мы были лишены возможности общаться как прежде, но все равно было осознание — ты есть, ты еще здесь. Когда тебя не стало, во мне что-то оборвалось, отключилось. В первые дни казалось, что ты стоишь у меня за спиной, положив руки мне на плечи. После прошло и это. Я больше не чувствовал тебя рядом.

Звенящая тишина. И только я, пустота и боль…

Кто тогда мог представить, что твоя болезнь и смерть станут поводом для бесконечных пересудов и обсуждений, эфиров, статей, комментариев. Как можно было помыслить, что горе одних станет сальной пищей для других. Ненависть, безволие, жажда дешевой славы и омерзительная слабость заслонят собой молчаливую, искреннюю скорбь и уважение к смерти. Страшные два года борьбы. И не менее страшный, отравленный год после.

Для меня это был год печали, пустоты и ясного понимания себя. Это состояние подарило мне звенящую чистоту восприятия: никогда еще я не чувствовал так тонко всё — от человеческих чувств до музыкальных произведений. Пустота позволила углубиться в себя, подойти к самому себе близко, насколько это возможно.

Я вел дневник. Каждый без исключения день писал, обращаясь к тебе, любовь, в попытке осознать произошедшее, помочь себе пережить то, что тебя больше нет. И однажды, спустя, быть может, полгода, мне показалось, что всё позади, шторм утих, переживания разложены по полкам сознания, всё осмыслено, ко мне возвращается прежняя легкость и, наконец, всё кончено...

Обманчивая надежда. Я ошибался. Чуть больше бокала вина — и я вновь срывался, теперь уже не в боль, а в ярость, обвиняя тебя и только тебя в том, что произошло: что оставила меня, что предала, исчезнув безвозвратно, так и не простившись. И прежние «зачем?», «для чего всё это?», и снова беспомощность, снова пустота.

Я много думал над тем, чего не успел сказать тебе, какие слова подобрать, чтобы выразить чувства. Не знаю, я так и не нашел этих слов ни перед прощанием, ни сейчас. Я по-прежнему переживаю за тебя и надеюсь, что тебе сейчас спокойно. Когда-то давно, помнишь, ты сказала мне: «...Даже если ты оставишь меня, я по-прежнему буду желать тебе счастья, я хочу, чтобы тебе было хорошо, потому что люблю тебя». Наверное, сейчас я сказал бы тебе это.

Нам действительно было отпущено очень мало времени. От встречи и до рождения Платона прошло чуть больше двух лет. Вспоминая это краткое время, я понимаю, что был с тобой как никогда безоблачно счастлив. Помню, как думал тогда: «Господи, как хорошо! Но ведь так не может быть всегда. Неужели однажды за это придется платить, неужели на смену придет черная полоса?» Конечно, сейчас подобные мысли кажутся мне наивными. Нет расплаты. Есть только осознание того, какое счастье выпало мне и как я благодарен судьбе за тебя.

Прошло полтора года. Улеглись боль, растерянность, страх, злость. Мне кажется, что это позади. Осталась лишь пустота. Пережитое сделало меня чрезвычайно чувствительным и восприимчивым к чужой боли. И при этом — напрочь лишенным эмоций. Таким ты меня не знала.

Я начал задавать себе вопросы о будущем, строить планы, задумался, наконец, о том, чего хочу. Я больше не живу прошлым. И только иногда, в самые неожиданные моменты, понимаю — как мне не хватает тебя. Как жаль, что сейчас тебя нет рядом.

Я рассказываю о тебе сыну, а он внимательно слушает. Он знает твой голос, знает твое лицо и улыбку. А я узнаю в нем тебя, в мелочах, в повороте головы, в кончиках пальцев, смехе. И от этого твердо знаю, что любовь жива без присутствия.

Она просто есть.

ОГЛАВЛЕНИЕ

Литературно-художественное издание

ДМИТРИЙ ШЕПЕЛЕВ
ЛЮБОВЬ И БОЛЕЗНЬ В ИСТОРИИ ЖИЗНИ ЖАННЫ ФРИСКЕ

Шепелев Дмитрий Андреевич

ЖАННА

Ответственный редактор *Э. Саляхова*
Младший редактор *А. Михеева*
Художественный редактор *А. Сауков*
Технический редактор *О. Лёвкин*
Компьютерная верстка *Л. Панина*
Корректор *Е. Будаева*

ООО «Издательство «Э»
123308, Москва, ул. Зорге, д. 1. Тел. 8 (495) 411-68-86.

Өндіруші: «Э» АҚБ Баспасы, 123308, Мәскеу, Ресей, Зорге көшесі, 1 үй.
Тел. 8 (495) 411-68-86.
Тауар белгісі: «Э»
Қазақстан Республикасында дистрибьютор және өнім бойынша арыз-талаптарды қабылдаушының өкілі «РДЦ-Алматы» ЖШС, Алматы қ., Домбровский көш., 3«а», литер Б, офис 1.
Тел.: 8 (727) 251-59-89/90/91/92, факс: 8 (727) 251 58 12 вн. 107.
Өнімнің жарамдылық мерзімі шектелмеген.
Сертификация туралы ақпарат сайтта Өндіруші «Э»

Сведения о подтверждении соответствия издания согласно законодательству РФ о техническом регулировании можно получить на сайте Издательства «Э»

Өндірген мемлекет: Ресей
Сертификация қарастырылмаған

Подписано в печать 21.12.2016. Формат 84х108 1/32.
Гарнитура «Чартер». Печать офсетная. Усл. печ. л. 13,44.
Тираж 5000 экз. Заказ 6271/17.

Отпечатано в соответствии с предоставленными материалами в ООО «ИПК Парето-Принт», 170546, Тверская область, Промышленная зона Боровлево-1, комплекс № 3А,
www.pareto-print.ru